［改訂版］
予習・復習にも役立つ

社会的養護Ⅱ

松本なるみ・中安恆太・尾崎眞三 ［編著］

創 成 社

はじめに

2016年に児童福祉法が改正されました。それまで，子どもは児童福祉の「対象」として位置づけられていたが，改正により児童福祉を受ける「権利主体」となりました。社会的養護については，家庭養育優先原則に基づき特別養子縁組や里親など「家庭」で子どもを育てることを強く推進する方向性が示され，どうしても「家庭養護」が難しい場合の「施設養護」においては，小規模かつ地域に分散化された「できる限り良好な家庭的環境」が求められています。また，家族分離を防ぐための予防支援を含む保護者支援等も明記されました。今，この『社会的養護Ⅱ』を使って学ぼうとしている人は，日本の社会的養護の変革の時期をその眼で見て捉え，考えようとする人たちであるといえるでしょう。そのような時期だからこそ，基礎的な知識を丁寧に修得し，今，何が，子どもの周りで，社会で起こっているのか，正しい状況把握と理解が求められるのです。そして，社会的養護の理念である「子どもの最善の利益」を尊重した支援や，社会的養護を必要とする子どもの自己実現を「社会全体で育む」方法について考えながら学ぶことが望まれます。

2019年のカリキュラム改定では，科目名が変更され，（旧）「社会的養護」は（新）「社会的養護Ⅰ」に，（旧）「社会的養護内容」は（新）「社会的養護Ⅱ」となりました。本書では，国で定められている保育士養成カリキュラムの教科目の教授内容に準拠して，「社会的養護Ⅱ」が演習科目であることを十分に生かした7章構成となっています。そして，いずれの章も事前学習と事後学習を含む内容となっています。これは，まず大学の授業の構成から理解していただきたいと思います。大学の授業は，出席している時間だけで単位が取得できるわけではありません。1コマの授業は，大学で行われる90分〜100分の授業と授業前予習90分＋授業後復習90分という授業外学修とを合わせて構成されているのです。つまり，学生には，主体的に関心を持って学ぶ姿勢が求められているということです。この『社会的養護Ⅱ』のテキストは，演習科目であることから，「これを読めばすべて書かれている」といった内容に作成されてはいません。みなさんが演習授業で，このテキストにどんどん書きこんで自分の意見を述べ，他者の意見を聴き，ポートフォリオのような世界に1冊の自分だけのオリジナ

ルブックを作成することを期待しています。その作業を通して，社会的養護を必要とする子どもや保護者の気持ちを理解し，制度や社会について考え，支援の方法を悩み，学びが深まっていくことを願っています。

　2022年8月

編著者

保育士養成カリキュラムの教科目の教授内容

<科目名> 社会的養護Ⅱ（演習・１単位）

<目標>
1．子どもの理解を踏まえた社会的養護の基礎的な内容について具体的に理解する。
2．施設養護及び家庭養護の実際について理解する。
3．社会的養護における計画・記録・自己評価の実際について理解する。
4．社会的養護に関わる相談援助の方法・技術について理解する。
5．社会的養護における子ども虐待の防止と家庭支援について理解する。

<内容>
1．社会的養護の内容
（1）社会的養護における子どもの理解
（2）日常生活支援
（3）治療的支援
（4）自立支援
2．社会的養護の実際
（1）施設養護の生活特性及び実際
（2）家庭養護の生活特性及び実際
3．社会的養護における支援の計画と記録及び自己評価
（1）アセスメントと個別支援計画の作成
（2）記録及び自己評価
4．社会的養護に関わる専門的技術
（1）保育の専門性に関わる知識・技術とその実践
（2）社会的養護に関わる知識・技術とその実践
5．今後の課題と展望
（1）社会的養護における家庭支援
（2）社会的養護の課題と展望

本書の使い方

1　学修のPDCAサイクルの活用

　このテキストを使用した授業では，みなさんの主体的学びを促すことを大切にしたいと考えています。まず，科目全体を見通して何を学ぶべきかといった授業の学修計画を立案（Plan）します。つぎに，事前課題に取り組み，その章で学ぶことがイメージできるようにしていきます。そして，実際に授業を受けます（Do）。その後，章末問題や巻末問題に取り組むことで学んだ内容や成果を確認し，振り返りを行います（Check）。これらの取り組みをとおして学修成果を可視化することができるようになるでしょう。そこでまだ終わりではありません。そこから学修が不足していると考えられる部分の復習や課題を見つけてつぎの学びにつなげていきましょう。また，興味を持ったことを自分で深く調べるなど，さらに主体的に学ぶ（Act）といった，みなさん自身による「学修のPDCAサイクル」が確立されていくことを期待しています。

2　体験学習のサイクルの活用

　保育士養成校で保育士資格の取得を目指す人は，必ず保育実習Ⅰ（保育所実習90時間＋施設実習90時間）と，保育実習Ⅱ（保育所実習90時間）または，保育実習Ⅲ（施設実習90時間）のいずれかを選択して実習を行うことが必要です。施設実習に参加する前にこのテキストで学び，実習直前には復習して実習に臨みましょう。実習では，机上の学習では，学ぶことのできない実践に基づく経験から学ぶことが多くあることでしょう。そのような支援の実践においては，「体験学習のサイクル」に沿って，振り返ることも大切です。つぎに示した「学びのサイクル」の図をみながら，実際の学びのサイクルをイメージしてみましょう。

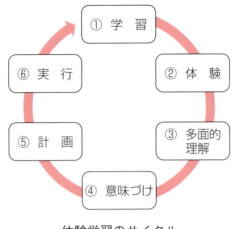

体験学習のサイクル

出所：社会福祉基礎シリーズ『社会福祉援助技術現場実習　ソーシャルワーク実習』有斐閣，2002年，p.170を参考に筆者作成

① 学習とは，必要な知識を事前に学ぶことです。
② 体験とは，実際に社会的養護等の現場で実践することです。
③ 多面的理解とは，その時の出来事を思い出し（利用者の言動，自分の言動・気持ち），多面的に捉え，その時にはどのように理解したのか，今はどう理解したらよいかなど，さまざまな角度から検討することです。
④ 意味づけとは，これまで学んできた社会福祉の価値，知識，技術と体験したことを結びつけ，その意味を深めることで意味づけていくことです。
⑤ 計画とは，これからどのように行動するのかを具体的にすることです。
⑥ 実行とは，その計画に沿って実行することです。そして，次の課題に向けてさらなる学習をすることが重要となるでしょう。

※このテキストでは，支援者，養育者，職員という用語は，あえて統一することなく，各章の扱う内容にふさわしくわかりやすい表記にしています。

参考文献

満田節夫「学生自身による学修のPDCAサイクルの確立～東京理科大学～」『大学教育と情報』154号，2016年

目　次

はじめに
本書の使い方

第1章　社会的養護の内容 ── 1
1．「社会的養護」とは …………………… 4
2．「社会的養護」の理念 ………………… 4
3．「社会的養護」の実施体系 …………… 5
4．新しい社会的養育ビジョン ………… 5
5．社会的養護の現在と今後の目標 …… 8
6．社会的養護における子どもの理解 … 9
7．社会的養護における支援 …………… 15

第2章　子どもの権利擁護 ── 21
1．子どもの権利 ………………………… 24
2．子どもの最善の利益 ………………… 26
3．子どもの権利擁護 …………………… 30

第3章　家庭養護の特性および
　　　　実際 ── 37
1．家庭養護の特徴 ……………………… 40
2．家庭養護の種類とその内容 ………… 40
3．家庭養護の特徴と実際 ……………… 42
4．家庭養護の支援と子どもたちの生活
　………………………………………… 48

コラム　乳児院の里親支援専門相談員の
　　　　活動　52

第4章　施設養護の特性および
　　　　実際 ── 53
1．施設養護の特性 ……………………… 56

2．施設の小規模化と家庭的養護 ……… 61
3．入所施設における子どもの支援 …… 63

コラム　私が大切にすること　69

第5章　自立支援と支援計画の
　　　　策定および自己評価 ── 71
1．社会的養護における自立（自律）支援
　………………………………………… 74
2．支援計画策定の意義 ………………… 76
3．支援計画の作成方法 ………………… 80
4．支援計画の実施と評価 ……………… 86
5．ま と め ……………………………… 89

第6章　社会的養護に関わる
　　　　保育士の専門性 ── 95
1．保育士の専門性に関わる知識・技術と
　その実践 ……………………………… 98
2．ソーシャルワークに関わる知識・技術
　とその実践 …………………………… 99
3．コミュニケーションの技術………… 105
4．チームワーク………………………… 108

コラム　児童養護施設と私　124

第7章　今後の課題と展望 ── 125
1．2016年に改正された児童福祉法にみる
　子どもと家庭への支援…………… 128
2．今後の児童福祉法改正案に見る展望… 129

vii

3.「子どもの権利条約」にみる社会的
　　養護の支援の方向性と課題………129
4. 新しい社会的養育ビジョンの実現に
　　向けた工程にみる今後の展望……131

コラム　企業と施設とのパートナーシップ
　　が「丁寧な社会への送り出し」
　　を実現する　134

解 答 編　135
索　　引　143
巻末問題（切り取り式）

第1章

社会的養護の内容

本章の要点

　さまざまな事情から，親，家族による子育てが困難になった場合，公的責任において子どもを保護，養育し，養育に困難を抱える家庭への支援も行う「社会的養護」という仕組みがある。この章では，「社会的養護」を必要とする子どもと家族，および社会について考え，子どもの育ちを踏まえた「社会的養護」の内容について基本的な事項を理解する。

【キーワード】

社会的養護　社会的養育　公的責任　子どもの最善の利益　施設養護　家庭養護
里親　パーマネンシー保障　生活支援　自立支援

学習する前に予習しておこう！

問題1　厚生労働省の公式ホームページにアクセスしてみよう。

問題2　資料を読んでみよう。
　❶「新しい社会的養育ビジョン」（平成29年8月）の1〜5ページを読んで，興味を持った事柄を1つ選び，それを選択した理由を書いてみよう。

❷「児童養護施設入所児童等調査の概要（平成30年２月１日現在）厚生労働省子ども家庭局 厚生労働省社会援護局障害保健福祉部 令和２年１月」の資料を読んでおこう。

https://www.mhlw.go.jp/content/11923000/000595122.pdf

1．「社会的養護」とは

社会的養護の定義

　児童福祉法第1条では，「全て児童は，児童の権利に関する条約の精神にのっとり，適切に養育されること，その生活を保障されること，愛され，保護されること，その心身の健やかな成長及び発達並びにその自立が図られることその他の福祉を等しく保障される権利を有する」と定められている。また，児童福祉法第2条においては，「全て国民は，児童が良好な環境において生まれ，かつ，社会のあらゆる分野において，児童の年齢及び発達の程度に応じて，その意見が尊重され，その最善の利益が優先して考慮され，心身ともに健やかに育成されるよう努める」（第1項），「児童の保護者は，児童を心身ともに健やかに育成することについて第一義的責任を負う」（第2項），「国及び地方公共団体は，児童の保護者とともに，児童を心身ともに健やかに育成する責任を負う」（第3項）と規定されている。

　このように，2016年児童福祉法の改正において，児童が権利の主体であること，児童の最善の利益が優先され，国民，保護者，国・地方公共団体が，それを支える形で児童の福祉を保障することが明確化されている。

　現在，日本では，諸事情によって家庭で暮らすことができない子どもが約45,000人と報告されている。そのような子どもを，児童福祉法に基づき社会が責任を持ち育てる「社会的養護」という仕組みがある。厚生労働省の公式ホームページにおいて，「社会的養護」は以下のように定義されている。

　「保護者のない児童や，保護者に監護させることが適当でない児童を，公的責任で社会的に養育し，保護するとともに，養育に大きな困難を抱える家庭への支援を行うこと」

2．「社会的養護」の理念

❶子どもの最善の利益のために

　児童憲章において「児童は人として尊ばれる。児童は社会の一員として重んぜられる。児童は良い環境の中で育てられる」と謳われている。また，「児童の権利に関する条約」では，「生命への固有の権利」（第6条）が認められている。子どもは生きる権利，育つ権利を持っており，「子どもの最善の利益」のためにとは，子どもに関する

ことを行うときは，子どもにとって最も良い選択がなされることを保障しようというものである。そのために，子どもには，自分に関係のあることについて自由に自分の意見を表す権利（第12条）があり，子どもの発達に応じて考慮されなければならない。

❷すべての子どもを社会全体で育む

「児童の権利に関する条約」（20条1項）では，「一時的若しくは恒久的にその家庭環境を奪われた児童又は児童自身の最善の利益にかんがみその家庭環境にとどまることが認められない児童は，国が与える特別な保護及び援助を受ける権利を有する」と社会的養護における国の公的責任が明示されている。

3．「社会的養護」の実施体系

演習1　「社会的養護Ⅰ」の授業で学んだことを基に「社会的養護」の実施体系を図で示してみよう。

4．新しい社会的養育ビジョン

2016年児童福祉法の改正では，子どもが権利の主体であることを明確にし，一般家庭への子育てにおける養育支援から社会的養護における支援まで，社会的養育の充実とともに家庭養育優先の理念を規定し，実親による養育が困難な状況で望めない場合，特別養子縁組による永続的解決（パーマネンシー保障）や，里親による家庭養護を

推進することを明確にしている。これまでの「社会的養護の課題と将来像」(2011年)を見直し，児童福祉法改正の理念を具体化するため，「新しい社会的養育ビジョン」が示されたのである。社会的養育ビジョンにおいて対象となる子どもは，社会的養護を必要とする子どもに限定されないすべての子どもが対象となる。

　2017年に「新しい社会的養育ビジョン」が発表された当初は，数値目標や期限について注目され，その設定について反対意見などもみられたが，ここでは，その議論ではなく，その内容についてみていきたい。「新しい社会的養育ビジョン」は，児童福祉法第3条の2に基づいている。「児童が家庭において健やかに養育されるよう，保護者を支援することを原則とした上で，家庭における養育が困難又は適当でない場合には，まずは養子縁組や里親等への委託を進めることとし，それが適当でない場合には，できる限り，児童養護施設等における小規模グループケアなどの良好な家庭的環境で養育されるよう，必要な措置を講じなければならない」と明示されている。

❶新しい社会的養育ビジョンにみる代替養育

　「新しい社会的養育ビジョン」では，代替養育の原則として家庭での養育を原則とすることを示している。具体的な内容について以下に示す。

・代替養育のすべての段階において，子どものニーズに合った養育を保障するために，代替養育はケアニーズに応じた措置費・委託費を定める。
・代替養育は家庭での養育を原則とする。
・高度に専門的な治療的ケアが一時的に必要な場合には，子どもへの個別対応を基盤とした「できる限り良好な家庭的な養育環境」を提供し，短期の入所を原則とする。
・里親を増加させ，質の高い里親養育を実現するために，児童相談所が行う里親制度に関する包括的業務（フォスタリング業務）の質を高めるための里親支援事業や職員研修を強化するとともに，民間団体も担えるようフォスタリング機関事業の創設を行う。
・代替養育に関し，児童相談所は永続的解決を目指し，適切な家庭復帰計画を立てて市区町村や里親等と実行し，それが不適当な場合には養子縁組といった，永続的解決を目指したソーシャルワークが児童相談所で行われるよう徹底する。
・特別養子縁組は重要な選択肢であり，法制度の改革を進めるとともに，これまで取組が十分とはいえなかった縁組移行プロセスや縁組後の支援を強化する。

演習2 社会的養育ビジョンで示された「できる限り良好な家庭的な養育環境」についてあなたの考えを具体的に示し，なぜその環境が保障されることが必要なのか述べよう。

❷特に重視されるべき養育に関する機能

ここでは，児童福祉法（第3条の2）に基づいた代替養育のあり方，および国連総会で2009年に採択決議された代替的養育の指針を踏まえ「できる限り良好な家庭的な養育環境」について，「社会的養育ビジョン」で示された機能を記す。

- 心身ともに安全が確保され，安心して生活できる機能
- 継続的で特定的な人間関係による「心の安全基地」としての機能
- 生活単位としての生活基盤を提供する機能
- 発育及び心身の発達を保障する機能
- 社会化の基盤としての機能
- 病んだ時の心身の癒しと回復を促進する機能
- トラウマ体験や分離・喪失体験からの回復を促進する機能
- 新たな対象とのアタッチメント形成を促進する機能
- 発達を促し，生活課題の解決が意図的・計画的に図られる機能

こうした機能を家族と家庭のみで担うのではなく，地域の社会的資源を活用しながら機能するようにしていくことが重要である。

第1章 社会的養護の内容 7

❸養育環境の要件 ～「社会的養育ビジョン」から

- 子どもと継続的な関係を持ち，親密で信頼できる関係を形成して養育を行うことができる特定の養育者がいる
- 子どもの安全が守られる「家」という物理的環境が提供される
- 特定の養育者と生活基盤を共有する
- 同居する他の子どもたちと生活を共有し同居する子どもたちの構成が可能な限り安定している
- 生活が，明確な構造を持ちつつ，一方で，子どもたちのニーズに応じて柔軟に営まれる
- 子どものニーズに敏感で，ニーズに応じた適切なケアを提供できる
- 社会的に受け入れられる価値を共有し，かつ子どもの自律や選択が尊重される
- 地域社会に位置付いており，子どもと養育者が地域社会に参加している
- 子どもの権利を守る場になっている
- 養育者が，子どものトラウマや関係性の問題に関する知識と対応方法を習得しており，必要に応じて専門家の助言を求めることができる
- 子どもの状況に応じて適切な家庭教育を提供できる

　「できる限り良好な家庭的な養育環境」において，その機能や要件を満たすことは大切ではあるが，人を人が育てる，人との関係性の中で育つという，子どもの育ちを考えたとき，その環境を保障するためにはまず，質の高い養育者・支援者の存在が不可欠であり，それを支える施策や社会のありかたが問われている。

5．社会的養護の現在と今後の目標

　2021年3月現在，厚生労働省福祉行政報告によると，日本の社会的養護における里親委託児童数は6,019人，グループホーム入所児童数は1,688人，乳児院，児童養護施設，児童心理治療施設，児童自立支援施設，などの施設入所児童数は34,727人となっている。合計すると42,434人の児童が社会的養護を必要としていることになる。その内訳を社会的養護の体系で分けて全体における割合を計算してみると，「家庭養護」（里親）が18.16％，「施設養護」が81.84％となっている。この割合からもわかるように，日本の社会的養護の特徴は「施設養護」が約8割を担っているということである。

この現状を踏まえて厚生労働省は「新しい社会的養育ビジョン」(2017) において，強固な養親・養子支援体制を構築し，養親希望者を増加させ概ね5年以内に，現状の約2倍である年間1,000人以上の特別養子縁組成立を目指すこと，乳幼児の家庭養育原則の徹底と，就学前の子どもは，家庭養育原則を実現するため，原則として施設への新規措置入所を停止すること，実親支援や養子縁組の利用促進を進めた上で，愛着形成等子どもの発達ニーズから考え，乳幼児期を最優先にしつつ，フォスタリング機関の整備と合わせ，全年齢層にわたって代替養育としての里親委託率の向上に向けた取り組みを開始しようとしている。また，愛着形成に最も重要な時期である3歳未満については概ね5年以内に，それ以外の就学前の子どもについては概ね7年以内に里親委託率75％以上を実現し，学童期以降は概ね10年以内を目途に里親委託率50％以上を実現するという目標値を示している。

6. 社会的養護における子どもの理解

❶社会的養護における児童問題

戦後の社会的養護に関する児童問題について，土屋の示した3つの時期区分に基づきその変遷をみていく。

第Ⅰ期 ── 戦後から1960年代初頭まで

終戦後の1947（昭和22）年児童福祉法は公布され，1948（昭和23）年に施行された当時は，第二次世界大戦で親を亡くした子ども「戦災孤児」を保護することが緊急かつ最大の課題であった。第Ⅰ期に見出された浮浪児，孤児，児童労働，人身売買などの問題は，主に戦災や生活難などの社会構造や社会変動自体によってもたらされたものであった。

第Ⅱ期 ── 1960年代初頭から1980年代後半まで

1960年代に入り高度経済成長期以降，社会の産業構造の変化は核家族化など地域の暮らしをも変えていった。この時期より「置去り児」「放置児」「親の蒸発」「親の行方不明」「親の別離」などの理由により「社会的養護」を必要とする子どもが増加した。「家庭崩壊」・「育児放棄」といった言葉を伴いながら家庭環境や母親の責任論が叫ばれていく時期であった。

第Ⅲ期 — 1990年代から現在まで

　1990年代に入ると「親の放任怠だ」「虐待・酷使」などの理由による児童福祉施設への子どもの入所が目立つようになっていく。

　全国の児童相談所における児童虐待に関する相談件数は，児童虐待防止法施行前の1999年と比較すると，2020年には 約18倍に増加している。児童福祉法第6条の3第8項には「要保護児童」について「保護者のない児童又は保護者に監護させることが不適当であると認められる児童」と定義されているが，2020年には，「保護者のない児童」は要保護児童の1割前後を占める程度で，約9割は保護者はいるが「保護者に監護させることが不適当であると認められる児童」ということになる。藤間は，「仮に親が子どものケア役割を放棄することを選択することが可能であるとしても，子どもが親との関係の解消を自由に選択できると考えるのは無理があり誰かに依存しなくては生存できない者とそうでない者とでは，関係の選択可能性をめぐって非対称性が生じるをえない」と指摘している。家族への公的支援，家族によるケアを支援することと，子どもの養育に困難を抱える家族へのケア役割の集約を解消し家族に変わってケアをするケアシステムの整備が必要となってきている。

演習3 表1-1「養護問題発生理由別児童数」をみて，養護問題が発生する理由を社会の問題として捉え指摘しよう。

表1−1　養護問題発生理由別児童数の構成割合

	構成割合（%）						
	里　親	児童養護施設	児童心理治療施設	児童自立支援施設	乳児院	ファミリーホーム	自立援助ホーム
総　数	100.0	100.0	100.0	100.0	100.0	100.0	100.0
父の死亡	2.3	0.5	0.1	0.3	0.1	0.9	1.6
母の死亡	10.8	2.0	0.8	0.4	0.5	3.0	1.9
父の行方不明	1.6	0.2	0.1	0.1	0.0	0.8	0.3
母の行方不明	6.7	2.6	0.6	0.3	1.3	3.4	1.5
父母の離婚	1.4	2.0	0.1	1.7	1.4	3.4	2.1
両親の未婚	※	※	※	※	2.8	※	※
父母の不和	0.7	0.9	0.3	0.4	2.2	1.1	0.5
父の拘禁	0.5	1.1	0.4	0.1	0.3	0.4	0.3
母の拘禁	2.5	3.7	0.7	0.3	3.7	3.5	1.5
父の入院	0.6	0.4	0.1	0.1	0.1	0.3	−
母の入院	1.7	2.3	0.5	0.1	2.6	2.0	0.6
家族の疾病の付添	0.2	0.1	0.0	0.0	0.2	−	0.3
次子出産	0.2	0.2	0.0	0.0	0.2	0.2	0.2
父の就労	0.9	2.1	0.2	0.0	0.8	1.3	0.3
母の就労	1.4	2.2	0.1	0.3	2.9	2.0	0.3
父の精神疾患等	0.5	0.8	0.3	0.1	0.2	0.4	0.3
母の精神疾患等	12.5	14.8	6.9	2.9	23.2	13.9	7.5
父の放任・怠だ	1.3	2.0	0.4	1.5	1.0	1.6	1.6
母の放任・怠だ	11.9	15.0	8.2	5.0	15.7	12.2	7.1
父の虐待・酷使	3.9	9.4	10.8	5.9	4.0	7.4	14.4
母の虐待・酷使	5.4	13.1	16.7	3.9	6.2	7.5	12.3
棄　児	1.4	0.3	0.1	0.3	0.3	1.3	0.5
養育拒否	15.3	5.4	3.4	2.8	5.4	13.5	9.4
破産等の経済的理由	6.3	4.9	0.7	0.1	6.6	2.8	1.3
児童の問題による監護困難	1.2	3.9	38.6	68.2	0.1	5.2	22.1
児童の障害	0.2	0.4	2.9	1.3	1.2	1.2	2.1
その他	7.6	9.2	6.0	2.9	16.6	9.5	7.5
不　詳	0.8	0.6	1.2	0.6	0.5	1.4	2.3

※は，調査項目としていない

出所：厚生労働省子ども家庭局厚生労働省社会援護局障害保健福祉部 令和2年1月「児童養護施設入所児童等調査の概要」p.12 表11を基に筆者が作成

児童養護施設で暮らしている10歳女児チヒロのつぶやき

　チヒロが３歳の時に父親の暴力が原因で両親が離婚した。母親と二人で暮らしていたが，５歳から同居し始めた母親の内縁の夫から虐待を受け，６歳で保護され児童養護施設に入所した。実習生には，チヒロは明るく活発で施設で問題なく楽しそうに暮らしているようにみえた。そのチヒロがふと実習生にもらしたつぶやきは「別に来たくてここに来たわけではないけど，今は慣れたからまあいいかな。家に帰れないし行くところがないから，ここで楽しくやるしかない」というものであった。

　チヒロのつぶやきや表１－１に示された結果からもわかるように，養護問題が発生する理由は，大人側の理由によるということである。保護者の養育能力が低い，保護者の心身の病気，虐待，経済的な問題を抱えている，など，その子どもの問題というよりも，家族の問題であり社会の問題であると考えられる。つまり，子どもは，子ども自身の問題から望んで児童福祉施設に入所してくるのではない。そのような子どもの心情を理解することも大切である。

　表１－２をみてみよう。この表からは里親による家庭養護では約８割以上，施設養護では約９割以上の子どもの保護者は健在であるが養育できないという状況がうかが

表１－２　委託（入所）時の保護者の状況別児童数

	総　　数	両親又は一人親	両親ともいない	両親とも不明	不　　詳
里　　親	5,382 100.0%	4,222 78.4%	919 17.1%	222 4.1%	19 0.4%
児童養護施設	27,026 100.0%	25,223 93.3%	1,384 5.1%	359 1.3%	60 0.2%
児童心理治療施設	1,367 100.0%	1,268 92.8%	79 5.8%	16 1.2%	4 0.3%
児童自立支援施設	1,448 100.0%	1,348 93.1%	78 5.4%	17 1.2%	5 0.3%
乳児院	3,023 100.0%	2,959 97.9%	53 1.8%	8 0.3%	3 0.1%
ファミリーホーム	840 100.0%	704 83.8%	83 9.9%	42 5.0%	11 1.3%
自立援助ホーム	616 100.0%	565 91.7%	39 6.3%	10 1.6%	2 0.3%

出所：厚生労働省子ども家庭局厚生労働省社会援護局障害保健福祉部 令和２年１月「児童養護施設入所児童等調査の概要」p.14

える。その理由も経済的困窮や，親の離婚による養育困難，虐待，病気など，多様化・複雑化している。子どもだけではなくその保護者，家族，家庭への丁寧な見守りと支援が求められる。また，親はいるが子どもを育てることができないという問題が発生する要因について考えるとき，個人の問題は，その社会の問題と合わせ鏡のようなものではないだろうか。例えば経済的困窮という問題を抱えている家庭の場合，それは子どもや保護者の問題としてだけではなく，その親子が経済的困窮に陥る社会にも考えるべき問題や責任があると捉える視点を持つことが必要である。

❷社会的養護における被虐待児や障害を持つ児童の増加

表1－3を見ていくと，児童福祉施設入所児童の虐待を受けた経験を有する被虐待児の割合も，児童養護施設では65.6％と半数以上を占めていることがわかる。また，表1－4では，児童養護施設入所児童の約4割が，児童自立支援施設では約6割，母子生活支援施設では約半数の児童が，何らかの障害を持っていることが示されている。社会的養護において，生活の支援と同時に，治療的支援や相談支援，家族への支援な

表1－3　被虐待経験の有無および虐待の種類

| | 総　数 | 虐待経験あり | 虐待経験の種類（複数回答） | | | | 虐待経験なし | 不　明 |
			身体的虐待	性的虐待	ネグレクト	心理的虐待		
里　親	5,382 100.0%	2,069 38.4%	629 30.4%	62 3.0%	1,361 65.8%	390 18.8%	3,028 56.3%	265 4.9%
児童養護施設	27,026 100.0%	17,716 65.6%	7,274 41.1%	796 4.5%	11,169 63.0%	4,753 26.8%	8,132 30.1%	1,096 4.0%
児童心理治療施設	1,367 100.0%	1,068 78.1%	714 66.9%	96 9.0%	516 48.3%	505 47.3%	249 18.2%	46 3.1%
児童自立支援施設	1,448 100.0%	934 64.5%	604 64.7%	55 5.9%	465 49.8%	330 35.3%	436 30.1%	72 5.0%
乳児院	3,023 100.0%	1,235 40.9%	357 28.9%	2 0.2%	816 66.1%	202 16.4%	1,751 57.9%	32 1.1%
母子生活支援施設	5,308 100.0%	3,062 57.7%	937 30.6%	124 4.0%	588 19.2%	2,477 80.9%	2,019 38.0%	201 3.8%
ファミリーホーム	1,513 100.0%	802 53.0%	365 45.5%	60 7.5%	500 62.3%	289 36.0%	576 38.1%	123 8.1%
自立援助ホーム	616 100.0%	441 71.6%	238 54.0%	48 10.9%	241 54.6%	243 55.1%	125 20.3%	48 7.8%

出所：厚生労働省子ども家庭局厚生労働省社会援護局障害保健福祉部 令和2年1月「児童養護施設入所児童等調査の概要」p.13

表1－4　委託・入所児童の心身の状況

	総数（人）	障害等あり	
	45,551	（人）	（％）
里　　親	5,382	1,340	24.9
児童養護施設	27,026	9,914	36.7
児童心理治療施設	1,367	1,040	84.2
児童自立支援施設	1,448	895	61.8
乳児院	3,023	912	30.2
母子生活支援施設	5,308	2,872	54.1
ファミリーホーム	1,513	703	46.5
自立援助ホーム	616	285	46.3

出所：厚生労働省子ども家庭局厚生労働省社会援護局障害保健福祉部 令和2年1月
「児童養護施設入所児童等調査の概要」p. 7

ども同時に行うことが求められるようになっている。

7．社会的養護における支援

　具体的な支援については3章，4章，5章で演習を通して学ぶので，ここでは社会的養護における支援について概要のみ記す。

❶日常生活支援

　児童養護施設に入所する子どもの65.6％が被虐待児であることから，その子どもがおかれていた生活環境を考えると，掃除がされていないゴミが放置されている生活環境の中で育ってきた子ども，毎日食事が提供されない不安定な状況に置かれていた子どももいるだろう。また，自宅で勉強をするスペースが確保できず，学習習慣が身についていないことから年齢相応の学力が身についていない子どもや，守ってくれる大人の存在を感じることができずに育ってきた子どももいるなど，子どもが育つのに必要とされる安全で安心できる生活が保障されてこなかったという状況が浮かび上がってくる。食事，入浴，着替えなどの基本的生活習慣が身についていないことも珍しくない。また安心できる暮らしが保障されるということを実感できずに，大人の顔色を窺いながら過ごしてきた子どもの生活はどれほど困難なものであったのだろうか。そのような子どもにまず必要なことは，安全で安心できる生活であり，自分が大切にさ

れているということを実感し，里親や施設の担当職員など，特定の大人との信頼関係を構築していくことである。それを可能にするのは，なにか特別なできごとを用意することではない。日々の生活を通して適切なかかわりを積み重ねていく中で，基本的な生活習慣を身につけ，自分のためにご飯を作って一緒に食べる人がいる，自分のことを心配し一緒に考えてくれる人がいる，いつも傍にいてくれる人がいるという存在を得ていくことであろう。そして，自分が大切にされていることを感じることは，次に示す治療的支援や自立支援をより有効なものにするためにも必要である。

❷治療的支援

先に示した表1－3「被虐待経験の有無および虐待の種類」，表1－4「心身の状況別児童数」のデータからもわかるように，社会的養護を必要とする子どもの中には，虐待による後遺症から心理的ケアが必要であることや障害による個別のケアを必要とする子どもも少なくない。対人関係の問題や，基本的不信感を持っていること，感情の調節が困難な子どもも見受けられる。否定的な自己イメージの保持や逸脱行動を示す子どももいる。保護前の子どもがおかれていた生活状況を把握し，現在の子どもの問題行動の背景にある根源的課題を理解して，担当職員，心理療法担当職員，小児精神科医など，多職種の連携が必要なケースも多い。

❸自立支援

『広辞苑』によると，「自立」とは，「他の援助や支配を受けず自分の力で身を立てること」と記されている。『21世紀の現代社会福祉用語辞典』によると，「自立」とは，「かつては他者の援助を受けずに日常生活が営めることを意味する言葉として使われてきたが，近年では自らの意思と選択によって他者から適切な援助を得ながら生活の質（QOL）の充実した生き方をすることを表すことが多くなった」と記している。また，「自立」という言葉は，障害者や高齢者が何らかの援助を受ける場合でも，「自己決定権」や「自己選択権」が尊重され，周囲からさまざまなサポートを受けながらも，本人が主体的，選択的に生きることを示す言葉として使われている。

では，社会的養護のもとで育った子どもの自立とは何か考えてみよう。永野は，社会的養護のもとで育った子どもの自立を困難にしている要因について，子どもたちに保護以前に奪われた機会の回復が保障されたかどうかにかかわらず，年齢要件（主に18歳）や家庭の意向によって社会的養護の措置が解除され，社会への自立が強いられていること，その結果，社会的養護を巣立つ若者の多くが，進路選択・社会生活への

移行過程でさまざまな困難に直面することを報告している。また社会的養護を巣立った若者の社会の中での孤立や居住・教育・保健・就労等の多次元の領域からの排除等を受け，困難を抱えさせられている姿が浮かび上がってくることを指摘している。これらの報告や指摘から考えると，社会的養護のもとで育った子どもの自立において，「自立支援」とは，基本的生活習慣の確立や，家事等生活技能の修得，衛生管理，金銭管理能力の修得，社会人としてのマナー，職業指導，といった支援は必要不可欠ではあるが，それだけでは十分とはいえないことがわかる。将来，家族を頼ることが困難と考えられる子どもには，仕事を辞めたときに頼る居場所がある，困ったときに頼り相談できる人がいる，うれしいこと，悲しかったことを共有できる場所や人を得るということが，一般家庭の子どもと比べて難しいといえる。子どもが自己決定できるようになるプロセスをみていくと，信頼できる他者に頼ることができ，適切な人に相談しながら自己決定できるようになるといわれている。自立支援ハンドブックによれば，自立支援とは，児童が社会人として自立して生活していくための「総合的な生活力」を育てることであり，基本的生活習慣の習得や職業指導だけを意味するものではないと述べられている。必要な場合に他者や社会に援助を求めることができることも，大切な自立の要素の1つである。つまり，子どもの頃の依存体験によって育まれた他者と自己への「基本的信頼感」が，自立を促す基礎となっていくのである。

<引用・参考文献>

網野武博『児童福祉学〈子ども主体〉への学際的アプローチ』中央法規出版，2002年

新たな社会的養育の在り方に関する検討会「新しい社会的養育ビジョン」厚生労働省子ども家庭局家庭福祉課，2017年

藤間公太「現代日本における家族と要保護児童」『社会保障研究』vol.2，No.2・3，2017年，p.165

公益財団法人日本財団「社会的養護のアウトカムに関する系統的レビュー報告書」2017年，p.2

厚生省児童家庭局家庭福祉課監修『児童自立支援ハンドブック』日本児童福祉協会，1998年

永野　咲『社会的養護のもとで育つ若者の「ライフチャンス」―選択肢とつながりの保障，「生の不安定さ」からの解放を求めて』明石書店，2017年，pp.12-13

庄司洋子他編『福祉社会事典』弘文堂，1999年

土屋　敦『はじき出された子どもたち　社会的養護児童と「家庭概念」の歴史社会学』勁草書房，2014年，p.21，p.178

上野千鶴子・鶴見俊輔・中井久夫・中村達也・宮田登・山田太一『シリーズ　変貌する家族　6　家族に侵入する社会』岩波書店，1992年

学習内容を確認してみよう！

問題1 児童福祉法に基づく根拠を示して，「社会的養護」の定義について，対象・責任・内容を明確に説明しよう。

問題2 初めて児童福祉法が公布された1947年を現在と比較して，社会的養護問題はどのように変化してきたのか，根拠を示しながら述べよう。

第**2**章

子どもの権利擁護

本章の要点

　「児童の権利に関する条約」では，子どもの権利について生存・発達・保護・参加の4つの柱で示している。社会的養護の場においては，子どもの最善の利益を保障し，権利擁護のための取り組みがある。保育士は子どもを1人の人間として尊重し，その権利を擁護する専門職として，子どもと向き合わなければならない。そのために，法に基づく権利擁護のさまざまな取り組みについて理解し，実践できることが求められる。

【キーワード】

児童の権利に関する条約　子どもの最善の利益　意見表明権
児童福祉施設の運営及び設備に関する基準　施設運営指針　子どもの権利ノート
被措置児童等虐待防止　ガイドライン　苦情解決の仕組み　第三者評価

学習する前に予習しておこう！

問題1 「児童の権利に関する条約（子どもの権利条約）」を読んでみよう。

問題2 「社会的養護の指針」を読んでみよう。

<参考書籍>

相澤　仁・松原康雄『やさしくわかる社会的養護2　子どもの権利擁護と里親家庭・施設づくり』明石書店，2013年

川名はつ子『はじめまして，子どもの権利条約』東海大学出版部，2017年

1. 子どもの権利

❶基本的人権と子どもの権利

第二次世界大戦後に制定された日本国憲法では，基本的人権が示され，子どもも一人の人間として尊重されることが定められている。森田ゆりは人権について，「人が人間らしく生きるために欠かせないもの」と定義し，衣食住の保障だけでなく，「安心して」「自信をもって」「自由に」生きる権利が人としての尊厳にかかわるものである[1]としている。子どももまた子どもらしく生きるために，これらの権利が保障されなければならない。

子どもの権利については，1951年に日本国内に向けて児童憲章が制定され，1959年には「児童の権利に関する宣言」が国際連合で採択された。1989年には，「児童の権利に関する条約（子どもの権利条約）」が国際連合で採択され，日本は1994年に批准した。

「児童の権利に関する条約」では，子どもは大人の保護を必要とする受動的立場であることと，権利を行使する主体としての能動的立場であることが示された。前者は，親や社会が育ちを保障し，必要に応じて保護や教育を受ける権利である。後者は，子どもらしく活き活きと育ち，自己実現していく権利である。また，「児童の権利に関する条約」では，第7条に「できる限りその父母を知りかつその父母によって養育される権利を有する」，第18条の1には「父母又は場合により法廷保護者は，児童の養育及び発達についての第一義的な責任を有する」とあり，「子どもには家庭が一番大切であると謳われている。父母等が児童の養育についての責任を遂行するにあたりこれらの者に対して適当な援助を与える」としており，家庭に対する援助が必要であることも示している。

子どもの権利とは，基本的な権利であり，人権であるという重要な意味を持っている。一番ケ瀬康子は，子どもの権利は「何にもまして優先的に保障されなければならない人権」であり，「子ども時代の人権が保障されなければ，たとえその後どのような努力がなされても無意味あるいは意味を軽減せざるをえない場合が少なくない」[2]と言っている。したがって，家庭による養育を第一としながらも，それが困難な場合には，家庭に代わる養育を保障しなければならない。子ども時代の成長発達を保障され，子どもとしての人権を護られることが子どもの権利である。

演習1　子どもの能動的権利と受動的権利とは，それぞれどのような権利だろうか。
　　　具体的に挙げてみよう。

❷児童の権利に関する条約

　「児童の権利に関する条約」は，前文と54条から構成されている。その内容についてユニセフでは，図2－1のように大きく4つの柱として表している。社会的養護においては特に4つの権利が保障され，子どもの最善の利益が日常の生活の中で追求されていかなければならない。

①生きる権利（生存）	②育つ権利（発達）
健康に生まれ，安全な水や十分な栄養を得て，健やかに成長すること。 　防げる病気などで命を落とさず，病気や怪我をしたら治療が受けられること。	教育を受ける権利がある。休んだり遊んだりすること，さまざまな情報を得ること，思想の自由が守られて，自分らしく成長すること。
③守られる権利（保護）	④参加する権利（参加）
あらゆる種類の虐待や搾取から守られ，差別されないこと。特に障害のある子どもや少数民族の子ども，紛争下の子どもなどは，特別に守られること。	自由に意見を述べたり，グループ活動をしたり，自由な活動を行うこと。

図2－1　4つの柱

出所：Unicefホームページ（https://www.unicef.or.jp/crc/）を参照して筆者作成

　「児童の権利に関する条約」の第20条では，「家庭環境を奪われた児童又は児童自身の最善の利益にかんがみその家庭環境にとどまることが認められない児童は，国が与える特別の保護及び援助を受ける権利を有する。」と規定されており，子どもは権利の主体として社会的養護を受ける権利があるとしている。社会的養護は，「すべての子どもを社会全体で育む」という基本理念により行われなければならない。

❸児童福祉法と子どもの権利

　児童福祉法では，第一章総則に日本の児童福祉の理念が掲げられている。

「第一章　総則

　全て児童は，児童の権利に関する条約の精神にのつとり，適切に養育されること，その生活を保障されること，愛され，保護されること，その心身の健やかな成長及び発達並びにその自立が図られることその他の福祉を等しく保障される権利を有する。

第二条　全て国民は，児童が良好な環境において生まれ，かつ，社会のあらゆる分野において，児童の年齢及び発達の程度に応じて，その意見が尊重され，その最善の利益が優先して考慮され，心身ともに健やかに育成されるよう努めなければならない。

○2　児童の保護者は，児童を心身ともに健やかに育成することについて第一義的責任を負う。

○3　国及び地方公共団体は，児童の保護者とともに，児童を心身ともに健やかに育成する責任を負う。」

　児童福祉法は，「児童の権利に関する条約」を踏まえて制定されており，すべての国民に子どもの健やかな成長発達を保障する責任があるとしている。まずは，保護者が第一義的責任を有するが，国および地方公共団体にも責任があるとしている。つまり保護者が責任を果たせない場合は，国および地方公共団体が子どもの権利を護らなければならない。そして，社会的養護は子どもにとって最善の利益を保障するものでなければならない。

２．子どもの最善の利益

❶子どもの権利擁護と最善の利益

　社会的養護が必要な子どもは，児童虐待や貧困，親の事情による養育困難により，健やかな成長発達の環境を奪われている。子どもにとっては権利侵害を受けていることになる。だからこそ，社会的養護では子どもの権利を護り，子どもの最善の利益を追求することが強く求められる。「児童の権利に関する条約」第３条の１には「児童に関するすべての措置をとるに当たっては，公的若しくは私的な社会福祉施設，裁判所，行政当局または立法機関のいずれによって行われるものであっても，児童の最善の利益が主として考慮されるものとする」とある。したがって，施設職員や里親等の子どもの養育にかかわる大人は，子どもの最善の利益とは何かということを常に意識していかなければならない。

　さらに，最善の利益を保障する上では，子どもの意見表明権を大切にすることが求

められる。子どもが自分の意見を表す権利を持っているということ，それを尊重することは，子どもの最善の利益につながるものである。子どもの意見表明権について，「児童の権利に関する条約」第12条の１では以下のように記されている。

> 締約国は，自己の意見を形成する能力のある児童がその児童に影響を及ぼすすべての事項について自由に自己の意見を表明する権利を確保する。この場合において，児童の意見は，その児童の年齢及び成熟度に従って相応に考慮されるものとする。

子どもの意見を尊重する取り組みとして，例えば，児童養護施設等において，「子ども会」など子どもが話し合う場を設けている。子ども会では，子どもたちが自分たちの生活のルールなどを話し合って決めたりすることで，子どもの意見が尊重されるだけでなく，子どもの主体性を育むことにもつながっている。また，子どもの意見を職員が真摯に聴き，受け止めることを通して，自身が大切にされていることを確認し，自己肯定観を高めていくことができる。それが最善の利益につながり，成長発達を保障していく。子どもの自立を支援するということは，自分に自信を持ち，自らの人生を決めていける力をつけていくことでもある。

日々の生活を通して，子どもがウェルビーイングを実現できることが求められる。ウェルビーイング（Well-being）とは，「よりよく生きること」「自己実現を保障する」ということである。また，社会的養護にかかわる保育士は，アドボカシーの機能を発揮することも求められる。アドボカシーとは，子どもが自らの権利を行使できるようにするために，子どもの代弁者となったり，子どもが権利を行使できるよう一緒に行動することである。

社会的養護のもとで生活している子どもは，一般家庭で育つ子どもよりもさまざまな面で制約を受けやすい立場にある。住む場所，身の回りの物品，将来の選択肢など，一定の枠がないとは言えない中で育つ。そのため，その子どもの置かれている立場を理解し，子どもの権利についてよく理解し，子どもにとって最善の利益を追求する姿勢が求められる。

では，子どもの最善の利益について４つの柱から見てみよう。

❷生きる権利（生存）の保障

「児童の権利に関する条約」第６条では，「すべての児童が生命に対する固有の権利を有することを認める」「児童の生存及び発達を可能な最大限の範囲において確保す

る」とある。子どもの基本的人権として，生きるために必要な衣食住が保障されなければならない。

　また，児童虐待やいじめ，貧困など，子どもの育ちにマイナスの影響を与える環境は，子どもの人権を侵害するものである。心身の健やかな成長に支障となるさまざまな要因から，子どもを守らなければならない。社会的養護の場においては，子どもが二度と人権を侵害されることのない環境でなければならないし，どのような立場の子どもであっても等しくウェルビーイングを保障されなければならない。心身に傷を負ったり，障害のある子どもについては，できる限りの回復，治療，発達の支援がなされなければならない。「児童の権利に関する条約」第24条では「到達可能な最高水準の健康を享受すること並びに病気の治療及び健康の回復のための便宜を与えられる」権利があるとしている。

❸育つ権利（発達）の保障

　子どもは成長発達するものであり，「児童の身体的，精神的，道徳的及び社会的な発達のための相当な生活水準についての全ての児童の権利」（「児童の権利に関する条約」第27条の1）が保障されなければならない。健やかに成長し，社会の中で自立していく上で，心身両面の教育は非常に重要である。社会的養護にある子どもにおいても，十分な教育を保障されなければならない。「児童の権利に関する条約」第28条には，教育についての児童の権利を認め，この権利を漸進的にかつ機会の平等を基礎として達成するため，初等教育は無償に，中等教育は利用可能とし，高等教育は全ての児童に利用する機会が与えられる，とある。また，「児童の権利に関する条約」第29条では，児童の教育は，「児童の人格，才能並びに精神的及び身体的な能力をその可能な最大限度まで発達させること」とある。

　施設の子どもたちは低学力の傾向にあるが，それは生まれ育った家庭環境から来るものと，施設や学校の学習支援の不足によってもたらされたものである「強いられた低学力」「放置された低学力」[3] であるともいえる。学力について，施設と学校が協働して取り組む必要があるだろう。

　さらに，社会的養護における子どもには，高等学校以降の進路の問題がある。専門学校や大学等への進学について，費用や住むところをどう確保するかという点で，一般社会における子どもよりもハードルが高くなっている。希望格差[4] という言葉に表されるように，そもそも進学することを描くことなく成長する子どもも多い。高学歴の達成は，将来の安定した就労とも関係してくるため，一般的家庭の子どもの半数

以上が大学等へ進学することと比較すれば，社会的養護の下にある子どもたちの教育環境の保障はまだ課題があるといえよう。

　自分らしく生き生きと過ごし，自分の未来を自由に描けるように支援することも，社会的養護に携わる職員の役割である。子どものウェルビーイング（Well-being）の実現について，常に意識した関わりが求められる。

❹守られる権利（保護）

　いかなる立場の子どもも，その権利が守られなければならない。「児童の権利に関する条約」第2条の1では，「締約国は，その管轄の下なる児童に対し，児童又はその父母若しくは法廷保護者の人種，皮膚の色，性，言語，宗教，政治的意見その他の意見，国民的，種族的若しくは社会的出身，財産，心身障害，出生又は他の地位にかかわらず，いかなる差別もなしにこの条約に定める権利を尊重し，及び確保する。」とあり，差別の禁止について示している。

　また，「児童の権利に関する条約」第16条の1には，「いかなる児童も，その私生活，家族，住居若しくは通信に対して恣意的に若しくは不法に干渉され又は名誉及び信用を不法に攻撃されない。」とあり，プライバシーが尊重されなければならないことが表明されている。

　社会的養護においては，子どもが差別なく生活できる環境であることはもちろんのこと，持ち物や個人情報，生活空間などにおいて，プライバシーが尊重されなければならない。

❺参加する権利の保障

　意見表明権については，子どもの最善の利益において重要な権利である。「児童の権利に関する条約」第13条では，表現の自由についての権利として，「口頭，手書き若しくは印刷，芸術の形態又は自ら選択する他の方法により，国境とのかかわりなく，あらゆる種類の情報及び考えを求め，受け及び伝える自由」があるとしている。その際，「他の者の権利または信用の尊重」や「国の安全，公の秩序又は公衆の健康若しくは道徳の保護」を目的とすることに限られるとある。第14条では，思想，良心及び宗教の自由の権利，第15条では結社の自由及び平和的な集会の自由について子どもの権利があるとしている。

　第17条では，マス・メディアの情報及び資料を利用することが保障されるとある。ただし，子どもにとって有害な情報及び資料からは保護しなければならない。その際

には，子どもにきちんとその理由を伝えることが求められる。

　社会的養護においては，子どもが社会的な活動に参加したり，自身や社会の福祉に反しないことを前提とした思想信条を持ったりすることに対して，制限をすることがあってはならない。

演習2　子どもとスマートフォンの使用について，どのような点で制限が必要か，子どもの権利を踏まえて考えてみよう。

3．子どもの権利擁護

　子どもの権利を守る取り組みはさまざまなされている。以下に社会的養護における権利擁護の取り組みに関するものを挙げる。

❶児童福祉施設の運営及び設備に関する基準

　児童福祉施設の運営や設備等は，子どもの最善の利益が保障されたものでなければならない。そのため，施設設備や職員の配置について，一定の基準を定める必要がある。

　「児童福祉施設の運営及び設備に関する基準」の目的は，「都道府県知事の監督に属する児童福祉施設に入所している者が，明るくて，衛生的な環境において，素養があり，かつ，適切な訓練を受けた職員の指導により，心身ともに健やかにして，社会に適応するように育成されることを保障するもの」でなければならないとしている。具体的には，衛生管理，感染症の予防，入浴等の清潔の維持，医薬品の整備，健全な発育を保障する栄養や嗜好を考慮した食事，定期健康診断など，日常生活や健康管理に関することや，入所等している子どもに対する虐待の禁止について定めている。その他，子どもや保護者からの苦情に，迅速かつ適切に対応するための苦情窓口の設置等，必要な措置を講じることが定められている。

　なお，里親には「里親が行う養育に関する最低基準」があり，養育の一般原則，虐待等の禁止，衛生管理等，里親が行う養育に関する最低基準が定められている。

❷社会的養護施設運営指針および里親及びファミリーホーム養育指針

　2012年に社会的養護の施設種別ごとの運営指針，里親・ファミリーホームの運営・養育指針が，厚生労働省により通知された。子どもの最善の利益を保障するため

に，どの施設に入所しても一定の養育水準が保障されることや，社会的養護を社会に開かれたものにし，支援と養育の質の向上を目指すことを目的として策定されている。各運営指針の第Ⅰ部総論はほぼ共通した内容になっている。

○第Ⅰ部総論は，社会的養護の基本理念と原理，施設の役割，対象児童，養育等のあり方の基本，将来像など
　　　※「社会的養護の基本理念と原理」の部分は，6つの指針に共通
○第Ⅱ部各論は，第三者評価基準の評価項目に対応させる構成。
○各指針は，目指すべき方向であり，第三者評価のA評価の内容に対応。

＜指針の基本構成＞

第Ⅰ部　総　論
1．目　的
2．社会的養護の基本理念と原理
3．施設の役割と理念
4．対象児童等
5．養育，支援等のあり方の基本
6．施設の将来像

第Ⅱ部　各　論
1．養育，支援等
2．家族への支援
3．自立支援計画，記録
4．権利擁護
5．事故防止と安全対策
6．関係機関連携・地域支援
7．職員の資質向上
8．施設の運営

○社会的養護の基本理念
　①　子どもの最善の利益，　②　すべての子どもを社会全体で育む
○社会的養護の原理
　①　家庭的養護と個別化，　④　家族との連携協働，
　②　発達の保障と自立支援，⑤　継続的支援と連携アプローチ
　③　回復を目指した支援，　⑥　ライフサイクルを見通した支援

○各指針案の特徴
　・児童養護施設：養育論，関係性の回復，養育を担う人の原則
　・乳　児　院：乳幼児期の重要性，愛着関係，家族への支援
　・情　短　施　設：心理治療，児童心理治療施設の通称
　・児童自立支援施設：生活環境づくり，生活の中の教育
　・母子生活支援施設：入所者支援の充実
　・里親・ファミリーホーム：養育者の家庭に迎え入れる家庭養護，
　　　　　　　　　　　　　　地域とのつながり

○第Ⅱ部は，施設の指針では，第三者評価のガイドラインの評価項目に対応
（児童養護98，乳児院80，情短96，児童自立96，母子施設85項目）

○各指針は第Ⅰ部・第Ⅱ部全体で，2万字～2万5千字。

図2-2　施設運営指針，里親及びファミリーホーム養育指針について

出所：厚生労働省「施設運営指針，里親及びファミリーホーム養育指針について」

❸被措置児童等虐待対応ガイドライン

　2009年4月に「児童福祉法等の一部を改正する法律」が施行されるにあたって，「被措置児童等虐待対応ガイドライン」が作成された。このガイドラインに基づいて，被措置児童等虐待に関して関係部局が連携体制をとり，通告等があった場合には具体的な対応がとれるよう体制整備をすることとなった。

　社会的養護の必要な子どもが入所施設や里親のもとで権利が侵害されている場合には，子どもの福祉を守るという観点から，子どもの保護や児童福祉法に基づく施設等への適切な指導等を行うこととなった。各都道府県は個別のガイドラインを作成し，

第2章　子どもの権利擁護　31

それに沿ってすべての関係者が子どもの最善の利益や権利擁護の観点をしっかり持つことを示し，被措置児童等虐待の発生予防に努め，早期発見と迅速な対応，再発防止等の取り組みを総合的に進めることとなっている。また，虐待の状況と対応結果については，毎年公表することを義務付けている。

❹第三者評価

福祉サービスの質の向上を目指すため，社会福祉法第78条第1項により，「社会福祉事業の経営者は，自らその提供する福祉サービスの質の評価を行うことその他の措置を講ずることにより，常に福祉サービスを受ける者の立場に立って良質かつ適切な福祉サービスを提供するよう努めなければならない。」とされており，これに基づいて福祉サービス第三者評価事業が行われている。この事業は，社会福祉事業の経営者が任意で第三者評価を受けるものである。

「児童福祉施設の設備及び運営に関する基準」には，乳児院，母子生活支援施設，児童養護施設，児童心理治療施設，児童自立支援施設については，「自らその行う業務の質の評価を行うとともに，定期的に外部の者による評価を受けて，それらの結果を公表し，常にその改善を図らなければならない」と，第三者評価委員の受審と，自己評価およびその結果の公表が義務づけられている。なお，2012年4月からは，3年に一度以上，第三者評価を受審することが義務づけられている。

❺子どもの権利ノート

子どもの権利ノートは，施設や里親等に措置される子どもに対して児童相談所から渡されるもので，子どもの権利をわかりやすく子どもに伝えるために作成されている。その目的は，子どもに自分には権利があることを知らせること，権利を守るのは大人の責任であること，子どもが権利について学び理解すること，である。権利ノートの内容の一例を挙げると，施設で生活するに当たって不安や心配を軽減するもの，自分ができることと他人が自分にしてはいけないこと，施設生活で大切に守られるべき権利があること，仲間と楽しく仲良く暮らしていくために，お互いの権利を認め合い尊重していくこと，などである[5]。

演習3　子どもの権利条約を踏まえ，子どもの権利ノートに記す内容を考えてみよう。子どもにわかるようにするにはどのように書けばよいだろうか。

❻子ども会

　施設の中で，子どもが自分の意見を言える環境にあることはとても重要である。子どもが自分の意見を持って良いことを理解できるように援助すること，自分の意見を表現する力を育てることが大切である[6]。個別の意見を聞くだけでなく，子どもの意見を反映させるための取り組みとして，施設内の子ども会や子どもを交えたミーティングなどがある。日常生活のあり方について，子ども自らが主体的に考えて，自主的に改善できるような活動であり，職員は側面から支援する。子どもが自分の意見を述べ，それが反映されていくことで，子どもの主体性や自立性が育つ。また，自らの意見を表明する権利について理解する機会にもなる。

【注】

1 ）森田ゆり『エンパワメントと人権―こころの力のみなもとへ』解放出版社，2005年

2 ）一番ケ瀬康子『子どもの人権と福祉問題』教文堂，1993年，p.107

3 ）西田芳成『児童養護施設と社会艇排除』解放出版社，2011年，p.74

4 ）山田昌弘『希望格差社会―「負け組」の絶望感が日本社会を引き裂く』筑摩書房，2007年

5 ）長谷川眞人『子どもの権利ノートの検証　子どもの権利と人権を守るために』三学出版，2010年，pp.38-58

6 ）吉田眞理『児童の福祉を支える社会的養護』萌文書林，2017年，p.51

＜その他の参考文献＞

相澤　仁『子どもの権利擁護と里親家庭・施設づくり』明石書店，2013年

吉田眞理『児童の福祉を支える　演習　社会的養護内容』萌文書林，2018年

学習内容を確認してみよう！

問題1　なかよし児童養護施設の玄関には意見箱が設置してある。意見箱は苦情受付担当者が定期的にチェックしているが，ある日，入所している子ども・まさきが書いたメモが入っていた。「母親がいるのに，どうしてなかよし施設にいなければいけないか。家に帰りたい」というものだった。なかよし施設ではどのように対応すればよいだろうか。

問題2 実習生やボランティアは，子どもの権利擁護とどのようなかかわりがあるだろうか。外から入ってくる人，外の目，という視点から考えてみよう。

第**3**章

家庭養護の特性
および実際

本章の要点

　社会的養護が必要な子どもは施設で生活を送るほかに，家庭においても生活を送っており，家庭養護と呼ばれている。この章では家庭養護の中の里親とファミリーホームの実際の生活や支援に関して，事例を通して学んでいく。併せて，施設や児童相談所との連携や里親支援についても考えていく。

【キーワード】

里親　ファミリーホーム　養子縁組　里親支援　里親支援専門相談員　児童相談所　フォスタリング機関　家庭養護

学習する前に予習しておこう！

問題1　あなたが考える養子縁組と里親の共通点と違いは何だろう？　これまで学んできた知識だけではなく，あなたの持つイメージも踏まえて5つ箇条書きで書きだしてみよう。社会的養護の教科書やインターネットで調べてみよう。

養子縁組と里親の共通点

養子縁組と里親の違い

問題2　例えば，あなたが小学1年生の時に自分の家庭で生活することができなくなったら，どのような場所で生活をしたいだろうか。いくつかの選択肢から選んで，1～3番までの優先順位をつけてみよう。そこに理由も書いてみよう。

> 例：祖父母の家　親族の家（おじ・おば等）　里親　ファミリーホーム　児童養護施設

あなたの選択

① ＿＿＿＿＿＿＿＿＿＿＿＿＿＿＿
選んだ理由

② ＿＿＿＿＿＿＿＿＿＿＿＿＿＿＿
選んだ理由

③ ＿＿＿＿＿＿＿＿＿＿＿＿＿＿＿
選んだ理由

グループでお互いの意見を話し合ってみよう。

【読んでおきたい書籍】

山本真知子『里親家庭で生活するあなたへ〜里子と実子のためのQ＆A』岩崎学術出版社，
2020年

1．家庭養護の特徴

　家庭養護とは主に里親や養子縁組，小規模住居型児童養育事業（ファミリーホーム）のことを指す。家庭養護の特徴として，一貫かつ継続した特定の養育者が，子どもたちとともに地域で生活を送っていることである。

2．家庭養護の種類とその内容

❶養子縁組制度と里親制度の違い

　養子縁組制度と里親制度は似ているようで異なる制度である。

　養子縁組制度は，基本的に血縁関係にはない養親と養子が，戸籍上親子になる制度であり，主に日本には普通養子縁組と特別養子縁組がある。養子縁組が成立すると親子となり，何歳になっても法律上その関係は変わらない。

表 3 － 1　養子縁組の種類

名　　称	主な目的	詳　　細
普通養子	基本的に成人のための養子縁組にかかわる制度	年齢がいくつになっても養子縁組したい人同士が契約をすることによって成り立っている。成人同士でも養子縁組ができ，実親，養親ともに関係は継続する。戸籍には養子・養女と明記される。
特別養子	「子どもの福祉」を主な目的とした制度	家庭に恵まれない子に温かい家庭を与え，健全な育成を図ることを目的としている。特別養子縁組をするには子どもが原則15歳までとなっていて，さまざまな決まりがあり，家庭裁判所によって審判される。実親との関係は継続しない。戸籍には長男，長女と明記される。

　里親制度は，血縁関係も親子ではなく，戸籍上も親子にならない制度であり，4つの種類がある。また，里親制度は原則として18歳までの養育の期限があり，養育期間内に実親の元に帰る場合がある。

❷里親の種類

　里親は，児童福祉法第 6 条の 4 に規定されており，要保護児童を養育することを希望する者で，研修を受講し，都道府県知事が認め，各里親名簿に登録されたものという規定がある。里親には，養育里親，専門里親，養子縁組里親，親族里親の 4 つの種

類がある。

　養育里親は，虐待を受けた子どもや親に監護させることが適当でない児童（＝要保護児童）を４人まで養育することができる。里親の中で一番数が多く，一般的に里親は養育里親を指す。

　専門里親は，養育里親の中でも特に，虐待を受けた子どもや障害児などの専門的なケアを必要とする子どもを養育するために養育里親のうち専門里親研修を受け認定された里親である。

　親族里親は，３親等以内の親族間で子どもを養育する場合に親族里親となる。

　養子縁組里親とは，特別養子縁組を希望し，養子縁組が成立する前に必要とされる養育期間に子どもを養育することを主な目的とする里親である。家庭裁判所において養子縁組が成立した後は，里親ではなく養親として子どもを育てていくことになる。

　里親は，子どもに必要な養育費や里親手当が支給される。子どもに必要な養育費とは，衣食に関わる一般生活費や教育費である。乳児１人あたり月額約６万円であり，乳児以外は１人あたり月額約５万円となっている。その他，医療費や通学費なども支給される。そのほかに，里親手当も支給され，養育里親の場合子ども１人あたり90,000円が支給される。専門里親は子ども１人あたり141,000円が支給される。

表３－２　里親の種類

里親の種類		子どもの対象	手当など	人　数
養育里親		要保護児童 （保護者の無い児童又は保護者に監護させることが不適当であると認められる児童）	子どもに必要な養育費 里親手当（90,000円／子ども１人）	４人まで（実子等を含めて６人まで）
	専門里親	要保護児童のうち ① 児童虐待等の行為により心身に有害な影響を受けた児童 ② 非行等の問題を有する児童 ③ 身体障害，知的障害又は精神障害がある児童	子どもに必要な養育費 里親手当（141,000円／子ども１人）	２人まで（委託期間は原則２年。必要に応じて，委託期間の延長可能）
養子縁組里親		要保護児童 （保護者の無い児童又は保護者に監護させることが不適当であると認められる児童）	子どもに必要な養育費 （養子縁組成立後は支払われない）	
親族里親		① 当該親族里親に扶養義務のある児童 ② 児童の両親等の扶養義務を要するものが死亡，行方不明，拘禁，入院等の状態となったことにより，これらの者により，養育が期待できないこと	子どもに必要な養育費	

❸小規模住居型児童養育事業（ファミリーホーム）

　小規模住居型児童養育事業（ファミリーホーム）は，2008年の児童福祉法改正によって新たに設立された事業である。2008年まではいくつかの自治体（東京都や横浜市など）で里親が6人までの子どもを養育する場合に「里親ファミリーホーム」として独自に運営されてきた。2008年の法律改正後から，国の事業として成立したものであり，第2種社会福祉事業である。小規模住居型児童養育事業は一般的に「ファミリーホーム」と呼ばれ，要保護児童5〜6人を養育することができる。ファミリーホームの養育の基本は夫婦であり，子どもにとって職員としての存在ではなく，共に生活する存在であることが求められている。

　ファミリーホームの養育者は長年，里親として子どもを養育してきた人や児童養護施設等での勤務経験があり，ファミリーホームを開設した人などがある。里親とファミリーホームの違いは，養育する子どもの人数や補助者と呼ばれる養育者以外の人がファミリーホームの養育に携わることができることなどが挙げられている。

3．家庭養護の特徴と実際

❶家庭養護と施設養護の共通点と違い

　家庭養護と施設養護の共通点は，養育する子どもの背景である。実親の元で生活することができない理由は，虐待，養育拒否，親の死亡，行方不明，親の疾病などさまざまである。これは，里親・ファミリーホームの家庭養護と児童養護施設等の施設養護も同様である。

　違いとしては，家庭養護とは24時間365日養育者が変わらず，地域に存在する養育者の家庭で養育を行うことである。里親やファミリーホームは一般家庭の住宅やマンションなどで養育を行っており，里親や養育者が共に暮らし生活を送っている。また，家庭養護には乳児は乳児院といった年齢による入所の違いはなく，0歳から18歳までの子どもを一貫して養育することができる。児童養護施設や乳児院等の施設の職員の場合，施設で子どもを養育することは勤務であり，労働基準によって休日や休憩時間などが守られている。また，風邪などの体調不良の際は，施設に入所している子どもへの感染があるため仕事を休むこともあるだろう。しかし，里親やファミリーホームの養育者は，子どもとともに生活しているため，病気になった場合など体を休めることはしても，別の家で休みを取るということはない。それは，一般の家庭における光景であり，家庭養護と呼ばれる意味がそこにはある。

❷里親家庭の実際

　ここで里親家庭の事例を１つ取り上げる。この事例は，里親の認定から生活の一部を示したものである。事例の中でいくつかのポイントには下線を引いている。

【事例１】

　里親の山崎さん夫婦には実の子どもが２人おり，２人の実子が大学生になったことから，何か子どもたちの力になりたいという動機で養育里親になろうと思い，近くの児童相談所を訪れた。児童相談所から里親に関する制度の説明を受け，①基礎研修，家庭訪問，認定前研修，調査，面接，審議等半年近くのさまざまな過程を経て，養育里親としての認定を受けた。

　養育里親の認定と登録から半年近くたったころ，児童相談所から連絡があり，４歳の女の子（アイちゃん）の養育を打診された。アイちゃんは１歳半のときに実母の経済的な課題と病気の治療のため乳児院に入所し，家庭復帰を目指していたが，母親の体調が良くならず児童養護施設へ措置変更となった。児童相談所はアイちゃんの実母と話し合った結果，里親委託をすることになった。

　アイちゃんが里親委託される前，山崎さんはアイちゃんとの②面会や外出，外泊などの交流を行った。アイちゃんの入所していた児童養護施設には③里親支援専門相談員が配置されており，山崎さんは④児童相談所の担当の職員，里親を支援する機関の職員と児童養護施設の里親支援専門相談員とともに委託に向けて準備を行った。

　アイちゃんは誰にでも元気で明るく接する子どもであったため，里親委託後も問題はないだろうと思われていたが，⑤委託後，山崎さんに甘え，食事や着替えなどこれまで一人でできていたことを山崎さんにしてもらわないと泣くようになった。山崎さん夫婦はアイちゃんが十分に甘えられるように接し，また実子２人も休みの日にアイちゃんと遊んだり外出したりしていった。

　アイちゃんは山崎さんの家の近くの幼稚園に通うことになった。山崎さんはアイちゃんを里子として育てていることを伝えていたが，幼稚園に通う際に周囲の家庭がわかりにくくないよう「山崎アイ」として⑥本名ではなく山崎さんの名字で通うことにしたいと考えた。幼稚園に入所する際，児童相談所の担当職員が山崎さんとともに説明することとなった。

◆ポイント①　里親になるまでの過程

　里親は希望する人が誰でもなれるわけではない。里親は経済的に困窮している人や過去に児童ポルノなどの犯罪を犯した人，成年被後見人または被保佐人などに該当すると里親になることができないなどの，いくつかの規定がある。健康状態や里親になる動機なども重要である。また，里親になるための基礎研修，認定前研修があり数日間の研修を必ず受けなければならない。さらに，面談や家庭の調査などがあり，その

うえで里親として適当か審議され，認定を受けたものが里親となることができる。

◆ポイント②　委託前の交流

　この事例の場合，児童養護施設からの委託となるが，里親家庭に委託される子ども
は児童養護施設や乳児院からのほかに，児童相談所の一時保護所や家庭から直接委託
される場合もある。里親の認定から委託までの期間や，交流する期間や方法も異なる。
児童養護施設や乳児院からの委託の場合は面会，外出，外泊の順を追って行うことが
多いが，一時保護所や家庭から直接委託の場合は，交流期間がない場合や交流期間が
非常に短いこともある。

◆ポイント③　里親支援専門相談員について

　児童養護施設と乳児院には，里親支援専門相談員を配置することができる。すべて
の施設に配置されているわけではないが，施設から里親やファミリーホームへ子ども
が委託される場合に支援を行ったり，地域の里親・ファミリーホームの家庭への支援
を行ったりしている。

　里親支援専門相談員は，里親養育に理解のある職員とし，施設の直接ローテーショ
ン勤務に加わらない等の規定がある。児童相談所の職員や里親支援機関と連携をして
里親支援を行う。

◆ポイント④　児童相談所の職員，里親を支援する機関の職員について

　児童相談所には里親を担当する職員や子どもの担当をする児童福祉司や児童心理司
がいる。子どもの自立支援計画の策定を行ったり，里親家庭の訪問を行ったりしてい
る。児童相談所の里親を担当する職員は，子どもの委託における相談や連絡調整，学
校等への説明，施設との連携など行っている。

　また，里親を支援する機関もいくつかあり，里親支援センターやフォスタリング
（里親養育包括支援）機関，里親支援機関がある。そこには里親養育を支援する職員が
いて，児童相談所や里親支援専門相談員と一緒に里親養育の支援やアフターケアをし
ている。里親支援センターやフォスタリング機関等は都道府県や政令指定都市によっ
て担う団体が異なっていたり，児童相談所が担っていたりしている。地域によっても
異なり，支援の内容も違う。

◆ポイント⑤　試し行動について

　子どもが里親家庭やファミリーホームに委託されてから数日〜数週間後に，これまでできていたことができなくなったり，過度に甘えたりする行動が現れることがある。これは，「試し行動」と呼ばれ，委託当初に子どもが，里親は自分がどんな行動をしても受け入れてくれるか？　と確かめるために行動をすることを指している。例えば，幼稚園や小学校に通っている子どもが哺乳瓶でミルクを飲みたいと訴えたり，同じ食事しか食べないことが続いたりすることである。

　試し行動の頻度や期間，内容，開始時期などは子どもによっても大きく異なるが，里親が子どもの対応に追われるため支援を必要とする時期である。児童相談所や施設等の支援者が連携して支援を行う必要がある。

◆ポイント⑥　子どもの名前について

　里親やファミリーホームに委託されている子どもはそれぞれの本名（名字と名前）があるが，里親の名字と委託された子どもの名字が異なっていることで，地域の一般家庭で生活しにくいなどの場合がある。その際，委託された子どもの名字を里親家庭で生活する際だけ「通称名」として里親の名字にすることがある。里親やファミリーホームへの社会の認知が十分でないと，地域における生活の中で委託された子どもへ「なぜあなたは親と名字が違うのか？」などの質問をされ，子どもが答えられずに不安を抱く場合もある。その際に，通称名にしておくことで，不用意な質問を受けることは少なくなる。その一方，里親家庭の措置が切れると，戸籍上の名前での生活をすることが求められるので，資格の証明や卒業証書などの名前に関して注意していく必要がある。そのため，通称名を使う場合は，児童相談所の担当者や他機関の支援者と話し合い，また子どもの意見を取り入れながら使用することが求められる。

❸ファミリーホームの実際

　次にファミリーホームの事例を考えてみよう。里親の事例と同じように，事例の中でのポイントに下線を引いている。ファミリーホームを開設してからの事例である。

【事例2】

　田中さん夫婦は10年ほど前に養育里親となり，養育里親になってから8名の子どもを引き取って養育をしてきた。①その経験から，4年前にファミリーホームを開設することになった。ファミリーホームの事業者は夫である。

　田中さんの家庭には，②5歳の男の子，7歳の男の子，10歳の女の子の3人きょうだい

第3章　家庭養護の特性および実際　45

と，14歳と17歳の男の子の兄弟，18歳の女の子の計6名が委託されている。このうち，7歳の男の子には発達障害が疑われ，17歳の男の子は知的障害があり療育手帳を持っている。5歳の男の子はファミリーホームの近くの幼稚園に通い，7歳と10歳の子どもは地域の小学校，14歳の子どもは地域の中学校，17歳の男の子は特別支援学校の高等部，18歳の女の子は私立の高等学校に通っている。③田中さん夫婦のほかに，補助者として知人と田中さんの夫側の母の2名が養育を手伝っている。

　田中さん夫婦は日々子どもの養育に忙しい日々を過ごしている。子ども6人と夫婦2人の食事だけではなく，掃除，洗濯を行い，各学校や幼稚園の授業参観，行事，保護者会，PTA活動に参加し，習い事などの送り迎えなども行っている。6人の子どもの関係性などにも着目しながら，2名の補助者に家事の手伝いや，子どもの個別学習への支援をお願いしたりしている。

　18歳の子どもは短期大学の進学を考えているが，実の両親との関係はないため，④大学に通学する間はファミリーホームから通いたいと考えている。また，進学のための学費がかかるため，高校に入学したときからアルバイトをはじめた。それだけでは足りないため，いろいろな奨学金に応募して併用しながら学費を捻出しようと考えている。田中さん夫婦は子どもの希望に寄り添い，どのような奨学金があるかを一緒に考えていった。また，⑤児童相談所の児童福祉司や里親支援機関の職員とも自立に向けた話し合いを行っている。

◆ポイント①　ファミリーホームを開設する条件

　ファミリーホームを開設するためにはいくつかの条件がある。

　以下の3点は「ファミリーホーム事業者」の要綱である（小規模住居型児童養育事業（ファミリーホーム）実施要綱より抜粋）。詳細は各自治体によって異なる。

---

① 養育里親として委託児童の養育の経験を有する者

② 児童養護施設，乳児院，情緒障害児短期治療施設（現：児童心理治療施設）又は児童自立支援施設の職員の経験を有する者

③ 児童養護施設等を設置する法人が，その雇用する職員を養育者とする。

　ファミリーホームには事業者と養育者がおり「養育者」の条件は以下の通りである。また，ファミリーホームは里親と同様の家庭養護であるため，里親登録が必要となる。

---

① 養育里親として2年以上同時に2人以上の委託児童の養育の経験を有する者

② 養育里親として5年以上登録し，かつ，通算して5人以上の委託児童の養育の経験を有する者

③ 児童養護施設等において児童の養育に3年以上従事した者

---

④ ①から③までに準ずる者として，都道府県知事が適当と認めた者

⑤ 児童福祉法第34条の20第1項各号の規定に該当しない者

　田中さん夫婦の場合，夫婦ともに養育者であり，かつ夫が事業者となっている。事業者の条件としては①，養育者の条件としては②・④・⑤が当てはまる。

　児童養護施設等での経験からファミリーホームを開設することもできるが，半数以上が里親からファミリーホームに移行したホームとなっている（ファミリーホームの設置運営の促進ワーキンググループ，2014）。

◆ポイント② ファミリーホームの養育の特徴と傾向

　ファミリーホームは複数の子どもを養育するため，きょうだいが同じ養育環境の中で生活することができるメリットがある。ファミリーホームによっては2組以上のきょうだいがいる場合もある。

　また，障害のある子どもの委託も行われている。これは，児童養護施設等の施設，里親も含めて，年々障害のある子どもやその疑いのある子どもが増加しているためファミリーホーム特有の傾向ではないが，複数障害のある子どもが複数人委託されているファミリーホームは少なくない。

　ファミリーホームは5～6人の子どもを養育するため，きょうだいのケースや障害のある子どもを複数養育することが考えられる。一人ひとりに配慮したうえで，子ども同士の関係性を考えて支援していく必要がある。

◆ポイント③ 補助者について

　ファミリーホームの補助者は，養育者の親や実子といった親族が担うことがある。その際には，「雇用関係やその立場があいまいになりがちであるため，あらかじめ養育や経理等について役割確認を行うことが重要である。」と述べられている（ファミリーホームの設置運営の促進ワーキンググループ，2014：17）。また，障害のある子どもや虐待等子どもたちの背景にはさまざまな配慮が必要な場合があるため，特別なニーズに対応できる補助者が求められている。

◆ポイント④ 措置延長について

　里親やファミリーホームは原則18歳までの措置の期限があるが，大学等へ進学する場合や，就職または福祉的就労をしたが生活が不安定で継続的な養育を必要とする

第3章 家庭養護の特性および実際 47

場合などは，20歳までの措置延長が可能となっている（児童養護施設等及び里親等の措置延長等について，2011）。

◆ポイント⑤　多機関連携

　ファミリーホームはさまざまな機関や専門職と連携を行っていく必要がある。児童相談所とは，子どもの自立に関することや子どもの実親との連携を行うことが求められる。また，児童養護施設や乳児院などの児童福祉施設との連携も今後さらに求められる。一部の児童養護施設では，法人型のファミリーホームを運営している場合がある。ファミリーホーム間での連携や協働も行っていくことが必要となるだろう。

4．家庭養護の支援と子どもたちの生活

　里親やファミリーホームはそれぞれの家庭において，地域に点在して子どもを養育している。子どもの背景が重複化する中で，里親やファミリーホームの養育者だけに養育を任せることがないように，児童相談所，フォスタリング機関（里親支援機関），里親会，児童養護施設や乳児院などが連携し，チームで子どもを支援していく必要がある。

　里親支援の中心は，子どもの最善の利益を守ることであり，そのために里親家庭やファミリーホームの家庭全体への支援が必要となる。その支援とは，里親の養育に対する支援だけではなく，共に生活する実子や両親など他の家族への配慮や支援も欠かすことができない。

　また，地域の保育所，幼稚園，学校，障害のある子どもの通う児童発達支援センターなどの各機関や施設，病院等との連携も欠かせない。里親やファミリーホームは支援を受けることが必要であり，社会に開くことも求められている。地域で生活するためには，家庭養護で生活する子どもたちへの周囲の理解も必要であり，保育士は社会的養護を学んできた専門職として，その理解の促進をしていく必要がある。

演習1　あなたはひじつ保育園の保育士です。
　　　　あなたが担任するクラスに，松田さんという里親家庭で生活するショウちゃんが入園することになりました。以下の事例を読んで，あなたは担任として里親である松田さんとショウちゃんへどのような配慮を行っていきますか。

> 　ショウちゃんは3歳になる男の子である。半年前に松田さんの家に委託された。ショウちゃんは松田さんの家庭に来る前は乳児院で生活していた。松田さんは初

めて里親として子どもを養育している。

　あなたは今日初めてショウちゃんと松田さんに会い，今後の保育所での生活について話し合う予定である。

	あなたの意見	グループの意見
里親さんに対する配慮		
ショウちゃんに対する配慮		
その他の配慮		

　地域の保育所が里親やファミリーホームにできる支援とは何かをグループで話し合ってみよう。

＜参考文献＞

相澤　仁・村井美紀『社会的養護Ⅱ』中央法規出版，2019年

相澤　仁・林　浩康『社会的養護Ⅰ』中央法規出版，2019年

厚生労働省「児童養護施設等及び里親等の措置延長等について」，2011年

厚生労働省「養育里親研修制度の運営について」，2017年

厚生労働省「養子縁組里親研修制度の運営について」，2017年

厚生労働省「小規模住居型児童養育事業（ファミリーホーム）実施要綱」，2021年

こども家庭庁「里親支援センターの設置運営について」，2024年

全国里親委託等推進委員会『里親・ファミリーホーム養育指針ハンドブック』，2013年

ファミリーホームの設置運営の促進ワーキンググループ『ファミリーホームの設置を進めるために』，2014年

山本真知子『里親家庭で生活するあなたへ〜里子と実子のためのQ&A』，岩崎学術出版，2020年

学習内容を確認してみよう！

問題1 里親家庭やファミリーホームの家庭で育った子どもたちが，大学進学する際に応募することができる奨学金がある。インターネット等でそれらの奨学金を探し，その中から3つの奨学金を選び，以下の表に記入してみよう。

奨学金名	申請書類の種類	金　額	人　数

問題2 あなたの通っている学校の1年間の学費と，**問題1**で明記した奨学金を使用した際の差額を考えてみよう。

① あなたの1年間の学費	
② 1で調べた奨学金の金額合計	
① －②	

問題3 親元で生活することができない子どもたちが，18歳もしくは20歳で里親やファミリーホームを離れて生活する際に，どういったことに困ったり，支援を必要としたりするか考えてみよう。

また，どのような支援があったら，子どもたちが安心して自立して生活することができると思うか。あなたが思いつく支援を挙げてみよう。

乳児院の里親支援専門相談員の活動

コラム

二葉乳児院
里親支援専門相談員　浅野しのぶ

　里親支援専門相談員は，乳児院及び児童養護施設に配置することができ，平成24年にできた新しい職種です。児童相談所の里親担当職員や里親支援事業機関と連携し，所属施設の子どもの里親への委託促進を家庭支援専門相談員と協働して行っています。他にも，里親委託後の子どもと里親へのアフターケア，地域の里親に対する訪問支援，里親開拓や里親制度の普及啓発活動，里親研修への協力など多岐にわたっています。

　乳児院の入所の理由は虐待が多く，発達の課題や，医療的な配慮が必要である子どもも少なくありません。一時的なケアを経て，里親に養育をバトンタッチする際には，子ども自身に様々な問題が出てくることがあります。里親宅で生活をすることは，子どもの立場からみれば，保護者や保育者との分離を経て，慣れ親しんだ場所から離れて生活することになります。その劇的な変化の中で生活して行かざるを得ないため，「自分はここにいていいのか」，「甘えてもいいのか」等，様々な葛藤も生じるのはごく自然なことです。子どもはその葛藤を夜泣き，過食や偏食，睡眠障害，暴言や暴力で表現せざるを得ず，その言動に里親自身が悩むことも少なくありません。その子どもにとって一番身近な存在であり，支援の最前線にいるのが里親です。そのため，里親支援専門相談員は，里親と出来ることを一緒に考え，悩み，そして共に取り組みながら，子どもの育ちを共有し続ける存在であることが大切なことなのではないかと考えています。

　当院では，退所後の子どもと里親の行事があります。その時に，里親への委託前交流の際，子どもが里親に緊張して大泣きしていた時のことや，里親自身も子どもに上手く対応できず，院庭の桜を見つつ，駅までの坂道を，肩を落として帰られたときの様子などの思い出が蘇ります。色々なことが思い出される中，里親委託した子どもが生き生きと成長している姿を見られることが喜びです。そして，「子どもと里親の出発点である乳児院との繋がりが，自分の原動力になっている」という里親さんの声が，自分自身のやりがいにもつながっているのではないかと思います。

第**4**章

施設養護の特性
および実際

本章の要点

　日本において，社会的養護が必要な子どものうち，約2割は里親等の家庭養護への委託であるが，その他，約8割の子どもは，乳児院や児童養護施設等への施設入所の措置がとられている。

　この章では，施設養護である乳児院，児童養護施設，母子生活支援施設，児童自立支援施設，児童心理治療施設，障害児入所施設において，入所している子どもの背景や施設の特性を整理し，必要な支援について考える。現在，施設養護は，かつての集団養育を中心とした施設の生活スタイルから，施設を小規模化した家庭的な養育への変換が求められている。そのため，なぜ小規模化が必要なのかを示しながら，小規模化のメリットやデメリットについて考えていく。

【キーワード】

　施設養護の特性　入所児童の背景　入所する子どもの理解
　専門職との連携　施設の小規模化　家庭的養護
　アドミッションケア　インケア　リービングケア　アフターケア

学習する前に予習しておこう！

問題1 施設のイメージは？

　あなたの考える乳児院や児童養護施設などの「施設のイメージ」はどのようなものかな？「ポジティブなイメージ」「ネガティブなイメージ」に分けながら箇条書きで書き出してみよう。

【ポジティブなイメージ】
　（例）友達がたくさんできそう

_____　　_____
_____　　_____
_____　　_____
_____　　_____
_____　　_____

【ネガティブなイメージ】
　（例）規則が厳しそう

_____　　_____
_____　　_____
_____　　_____
_____　　_____
_____　　_____

　「ポジティブなイメージ」「ネガティブなイメージ」どちらが多かっただろうか？　自身の施設に対するイメージを整理してみよう。

問題2 施設に入所する子どもの気持ちは？

　乳児院や児童養護施設等の施設に入所してくる子どもは，児童相談所等での一時保護を経て，新たな環境での生活が開始される。その時の子どもの気持ちを想像してみよう。

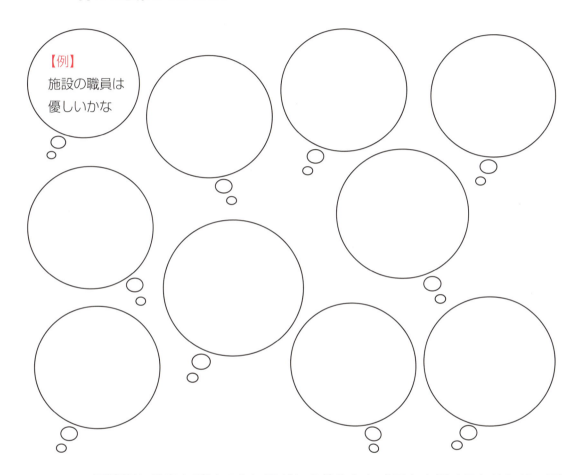

【例】施設の職員は優しいかな

　不適切な養育を受けてきた子どもの健やかな成長を支援するためには，子どもの思いを予測することが大切である。そして，日常生活の中で子どもの状況を把握し，必要な支援を提供することが，大人への信頼回復や子どもの自己肯定感を上げることにつながる。

【読んでおきたい書籍】

『施設で育った子どもたちの語り』編集委員会編『施設で育った子どもたちの語り』明石書店，2012年

1．施設養護の特性

❶施設入所する子どもの特徴

　児童相談所への児童虐待相談件数は年々増加し，2022（令和４）年度は219,170件の相談が寄せられている。最近では，心理的虐待の割合が増加しており，その理由として，家庭における配偶者に対する暴力（面前によるドメスティックバイオレンス）による警察からの通報が増加している。

　入所施設においても被虐待経験を持つ子どもの入所が増加傾向であり，児童養護施設においては71.7％の子どもが被虐待児であると示されている。そして，近年では発達障害等，何かしらの障害を持つ子どもの入所も増えているため，保育士は他の専門職種と連携しながらも，子どもの特徴やニーズに合わせた個別にきめ細やかな対応が必要とされる。

表４－１　社会的養護に関する施設ごとの対象や施設数等

施設名	対象	数	在所者数
乳児院	乳児（特に必要な場合は，幼児を含む）	145	2,560
児童養護施設	保護者のない児童，虐待されている児童 その他環境上養護を要する児童 （特に必要な場合は，乳児を含む）	610	23,486
母子生活支援施設	配偶者のない女子又はこれに準ずる事情にある 女子及びその者の監護すべき児童	204	7,305 （世帯人員）
児童自立支援施設	不良行為をなし，又はなすおそれのある児童 及び家庭環境その他の環境上の理由により 生活指導等を要する児童	58	1,114
児童心理治療施設	家庭環境，学校における交友関係その他の環境上の 理由により社会生活への適応が困難となった児童	51	1,398
障害児入所施設 （福祉型）	知的障害や聴覚障害，視覚障害，肢体不自由，自閉 症等の障害や，重複障害のある子ども。医療提供の 有無により，福祉型か医療型に分かれる。	243	5,964
障害児入所施設 （医療型）		221	7,785

施設数，所在者数は厚生労働省「令和４年社会福祉施設等調査の概況」をもとに筆者作成。

❷ 入所施設における専門職の配置

　表4－2は，各施設における主な専門職の配置を示している。社会的養護が必要な子どもは，複雑な家庭環境のもと，不適切な養育を受けてきた子どもや，発達障害等を持つ子どもが増加しているため，日常的な生活場面での支援の他に，医療面・心理面を含めた支援が必要である。

　そのため，保育士は生活全般を通した支援を中心に担いながらも，各専門職と連携しながら，子どもの状況に合わせた支援を行うことが求められる。

表4－2　社会的養護施設における主な専門職の配置

	保育士	児童指導員	個別対応職員	家庭支援専門相談員	里親支援専門相談員	心理療法担当職員	母子支援員	児童自立支援専門員	医師	看護師	心理指導担当職員
乳児院	※1	※1	○	○	□	△			※3	○	
児童養護施設	○	○	○	○	□	△				△	
母子生活支援施設	※2		○			△	○				
児童自立支援施設	※2	○				△		○	※3		
児童心理治療施設	○	○	○	○		○			○	○	
障害児入所施設	○	○							△	△	△

○＝必置　□＝配置ができる　△＝対象児童の在籍数等に応じて必置

※1　乳児院において看護師は，保育士又は児童指導員をもって代えることができる。
　　（詳細は「児童福祉施設の設備及び運営に関する基準」を参照）

※2　保育士の資格を有すると，母子生活支援施設では母子支援員，児童自立支援施設では児童生活支援員と名乗ることができる。

※3　医師又は嘱託医が必置

出所：「児童福祉施設の設備及び運営に関する基準」，厚生労働省通知「家庭支援専門相談員，里親支援専門相談員，心理療法担当職員，個別対応職員，職業指導員及び医療的ケアを担当する職員の配置について」を参考に筆者作成

（1）児童指導員

　保育士と連携して業務を行うことが多い。細かい業務の内容はそれぞれの施設・種別によって異なる部分もあるが，子どもの日常生活を通した支援を行う。

（2）個別対応職員

　被虐待児等の個別の対応が必要な子どもへの1対1の対応，保護者への援助等を行う職員を配置し，虐待を受けた子ども等への対応の充実を図る。

（3）家庭支援専門相談員（ファミリーソーシャルワーカー）

　子どもの早期家庭復帰のための保護者等に対する相談援助業務，退所後の子どもに対する継続的な相談援助，里親委託の推進のための業務，地域の子育て家庭に対する育児不安の解消のための相談援助，児童相談所等関係機関との連絡・調整など幅広い業務内容を担う。

（4）里親支援専門相談員（里親支援ソーシャルワーカー）

　児童相談所の里親担当職員と連携しながら，里親の新規開拓や委託推進，里親家庭への訪問や電話相談，里親会の活動支援等を行う。

（5）心理療法担当職員

　虐待やドメスティック・バイオレンス（DV）等で心理療法を必要とする子ども等に，遊戯療法・カウンセリング等の心理療法を実施し，心理的な困難を改善し，安心感・安全感の再形成および人間関係の修正等を図ることにより，子どもの自立を支援する。

（6）母子支援員

　親子関係の再構築等および退所後の生活の安定が図られるよう，就労，家庭生活および子どもの養育に関する相談，助言および指導ならびに関係機関との連絡調整等を行う。現在，ドメスティック・バイオレンス（DV）の理由で入所するケースが増えており，心理的なケアも行うことが求められている。

（7）児童自立支援専門員

　児童自立支援施設のみに配置されている。子どもの適性および能力に応じて，自立した社会人として健全な社会生活を営んでいくことができるよう支援する。

（8）その他

　社会的養護施設の他で，保育士が連携する職種として，児童相談所の児童福祉司や

児童心理司，学校の教員，スクールソーシャルワーカー，スクールカウンセラー，病院や保健所などで働く看護師や保健師などが挙げられる。

❸乳児院の特性

乳児院は，児童福祉法第37条に基づいて設置されている。乳幼児の基本的な養育機能に加え，被虐待児・病児・障害児などに対応できる専門的養育機能を持つ。乳児院は，子どもの発達状況からも看護師の配置が必須とされている。

入所理由は，母親の疾病（精神疾患を含む），虐待，父母就労，受刑などであるが，入所理由の背景は，複雑で重層化している。

子どもの在所期間は，平均1.4年である。短期の在所は，乳児院が家庭機能を補完する子育て支援の役割であり，長期の在所では，乳幼児の養育のみならず，保護者支援，退所後のケアを含む役割が求められる。また，今後は地域の乳幼児および家庭を支援するセンターとしての機能も期待される。

❹児童養護施設の特性

児童養護施設は，児童福祉法第41条に基づいて設置されている。幼児（必要な場合は乳児を含む）から高校を卒業する18歳までが対象とされている。保護者のない児童や被虐待児等，家庭で生活することが困難な子どもに対して養育を行い，退所後は，相談・支援等，自立に向けた支援を行うことが目的とされている。必要に応じて，20歳まで措置を延長することが可能である。

虐待を理由とした入所が増加しているが，入所理由の背景は，複雑・重層化しており，虐待の背景には保護者の経済的困難，社会的な孤立，精神疾患などの要因が絡み合っているケースがある。また，近年は発達障害等，何かしら障害を持つ子どもも42.8％おり，子どもの背景や特徴を十分に把握した上で，養育を行う必要がある。児童養護施設の入所児童は，幼児期から高校生まで幅広い年齢層が対象であることから，子どもの発達段階に合わせた支援が必要である。

❺母子生活支援施設の特性

母子生活支援施設は，児童福祉法第38条の規定に基づいて設置されている。支援の必要な配偶者のいない女子等が利用し，これらの者を保護するとともに，自立の促進のためにその生活を支援し，併せて退所したものについて相談・援助を行うことが目的とされている。母親と子どもが共に暮らせる唯一の児童福祉施設である。

母子生活支援施設では，子どもの養育に関する相談・支援等を行い，親子関係の再構築や，就労支援等を通して経済面における生活の安定を図る。近年は，配偶者からの暴力（DV）が理由で入所するケースが約半数と増えており，心理的なケアも行うことが求められている。また，母親の年齢は10歳代〜50歳以上の利用があり年齢幅が大きく，抱える課題も多様なため，それぞれの個別に応じた支援が必要である。

❻児童自立支援施設の特性

児童自立支援施設は，児童福祉法第44条の規定に基づいて設置されている。不良行為をなす，またはなすおそれのある児童や，家庭環境等の理由により生活指導等を要する児童を入所や通所させ，個々の状況に応じて必要な指導や自立支援を行い，退所後は，相談・援助等を行うことが目的とされている。

入所する子どもの特徴として，窃盗や浮浪等の非行傾向がある。また，他の施設では対応が難しくなったケースの受け皿としての役割を果たしている。また，少年法に基づく家庭裁判所の保護処分等により入所する場合もある。

このような子どもに対応するため，規則の押し付けや過度の管理に陥ることなく，「枠のある生活」を基盤とする中で，子どもの健全で自主的な生活を志向しながら，家庭的・福祉的なアプローチによって，個々の子どもの育ちなおしや立ち直り，社会的自立に向けた支援を行う。

❼児童心理治療施設の特性

児童心理治療施設は，2016年の児童福祉法改正により，情緒障害児短期治療施設から名称が変更となった。児童福祉法第43条の2に規定され，心理的・精神的問題を抱え日常生活の多岐にわたり支障をきたしている子どもたちに，医療的な観点から生活支援を基盤とした心理治療を行い，退所後は，相談・援助等を行うことが目的とされている。

軽度・中度の知的障害や集団不適応，多動性障害や広汎性発達障害等がある。また，利用する83.5％の子どもが被虐待児であり，虐待を受けたことによる後遺症の治療も必要である。

仲間作りや集団生活が苦手で，さまざまな場面で主体的になれない子どもに，施設内での生活や遊び，行事を通じて，主体性を取り戻す手助けを行っている。在園期間が平均で約2年であることから，家庭復帰や，里親・児童養護施設での養育につなぐ役割も担う。

❽障害児入所施設の特性

軽度〜重度の知的障害や聴覚障害，視覚障害，肢体不自由，自閉症等の障害や，重複障害のある子どもを対象とし，児童福祉法第42条にて，「福祉型障害児入所施設」と「医療型障害児入所施設」に分けられている。

提供するサービスは，障害児入所支援施設は，保護，日常生活の指導，知識技能の付与であり，医療型障害児入所施設は，障害児入所支援施設のサービスに治療が加わる。

措置で入所となった子どもでは虐待（疑い含む）が入所理由として最も多く，また，医療型障害児入所施設ではNICU（新生児集中治療室）やGCU（新生児治療回復室）から直接入所することもある。そのため，先天的な障害特性と，虐待等によって生じる愛着障害等の後天的に生じた課題を整理しながら支援にあたる必要がある。

2．施設の小規模化と家庭的養護

❶施設の形態

児童養護施設を中心に，建物の形態は，大舎制，中舎制，小舎制，そしてグループホームに分けることができる。

大舎制は，1養育単位（グループ）当たり定員数が20人以上であり，高年齢児は個

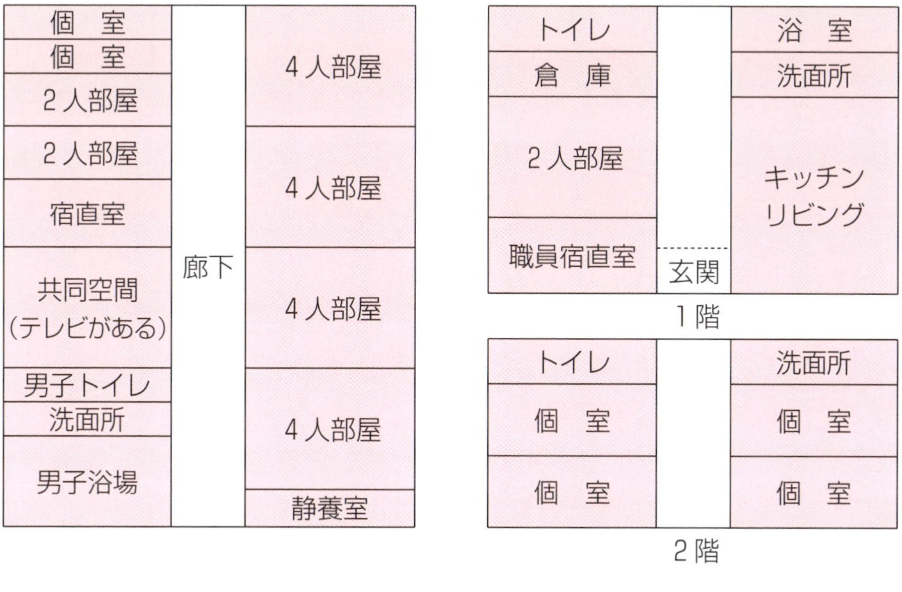

図4−1　大舎制とグループホームの平面図（例）

室の場合もあるが，原則は相部屋である。また，厨房で一括調理して，大食堂へ集合して食べ，風呂場も男女別に1つの場合が多く，複数名同時に入浴することになる。中舎制は大舎制よりも規模は小さいが，1養育単位が13〜19人である。小舎制は，1養育単位が12名以下であり，同じ敷地内に独立したホームが並んでいるものや，マンションのように，1ホームごと独立した形のものがある。そして，グループホームは，施設を離れ，地域の中で，一般の家庭とほぼ同様の環境にて4〜6人で生活を行っている。

❷社会的養護の課題と将来像

不適切な養育を受けてきた子どもは，愛着障害等を抱えている傾向があるため，個別にきめ細やかな対応が必要であるが，大規模な大舎制施設を中心とした集団養育では，子ども一人ひとりに合わせた対応が難しくなる側面がある。日本の社会的養護は，かつては大舎制を中心とした集団養育が主体であり，1990年代には，施設内虐待が社会問題化した。そして，国際連合の児童の権利に関する委員会から，日本の施設処遇に対して家族型環境において養育をするようにと，改善勧告が出された経緯がある。

また，被虐待児の増加や発達障害等何かしら障害を有する子どもが増え，個々に応じた支援がより必要になってきた。そのため，2011年に「社会的養護の課題と将来像」が厚生労働省より示され，施設養護においてもできる限り家庭的な養育環境において安定した人間関係の下で育てることができるよう，施設のケア単位の小規模化を実現することが必要とされた。

具体的には，大舎制施設を中心に本体施設を小規模化し，児童養護施設では，1ケア単位（グループ）の定員を6人[1]にすることや，本体施設の敷地内あるいは地域の中にグループホームを設置させ[2]，家庭的な雰囲気の下，養育を受けられるように改善していくことである。その結果，表4-3にもあるように，施設の小規模化が進んでいる。

家庭的な雰囲気の元で子どもが生活することは，個別の状況に対応できやすいことや，子どもが将来，家庭のイメージを持ちやすくなる等のメリットがある。しかし，単に生活単位を小規模化すれば良いというわけではない。特に，グループホームは本体施設と離れて生活するため，個々の職員の力量が問われることや，職員が子どもを抱えすぎてしまうことにより養育が閉鎖的になる危険性がある。そのような危険を予防するためにも，本体施設からのサポート，他専門職種との連携，人材育成の体系化等を通して，養育の質の向上が求められている。

表4-3　小規模グループケアの推移

	乳児院		児童養護施設	
	実施施設数	ホーム数	実施施設数	ホーム数
平成23年度	55	74	357	559
令和5年度	111	345	517	1,955

※小規模グループケアは，①本体施設の敷地内で行うもの（主にユニット化）と，②本体施設の敷地外においてグループホームとして行うものがある（分園型）。

出所：平成23年度の数値は「社会的養護の現状について（平成29年12月）」，令和5年度の数値は「社会的養育の推進に向けて（令和6年6月）」を参考に筆者作成

3．入所施設における子どもの支援

❶アドミッションケア

児童養護施設等における入所前後の子どもは，親族や友人，学校の先生等との別れが訪れるため，子どもは喪失感を持っている可能性がある。そして，不適切なかかわりを受けてきた子どもは，大人に対する不信感を抱くと同時に，自己否定をしながら生活を開始するケースもある。よって，入所前後は子どもの心理的な負担が大きくなることは予測できる。

この入所前後の支援のことをアドミッションケアといい，保育士は入所前には，児童相談所や学校等との情報共有を行い，施設内では，入所中の他の子ども達を含めた受け入れ態勢を整える必要がある。そして，入所時は，「迎え入れてもらえている」と実感してもらい，安心・安全な居場所づくりを進めていくことや，生活に必要な物を共に揃え「自分のもの」と実感してもらうことも，複数の子どもと生活を共にするためには大切なことである。

❷インケア

実親等から大切にされてこなかった子どもは，問題行動に対し，いくらその場で諭しても行動の改善につなげていくことは難しいため，心に負った傷の回復に向けた支援が必要である。子どもは，養育者との愛着関係や基本的な信頼関係を基盤にして，自分や他者の存在を受け入れていくことができるようになる。

林は，子どもの発達上，配慮する援助視点について，①アイデンティティ，②パーマネンシー，③安全性，④自尊感情の4つに分けている（林，2007：116～117）。①に

ついては，実親や親族とのつながりの継続や，子どもへの家族に関する情報提供，子どもが実親との関係性について折り合いをつけること。そして，意思決定過程への参画などを意味する。②は養育環境や養育場所の一貫性を意味し，生まれ育った環境との大きな変化を回避し，主たる養育者との愛着保障を意味する。③は，安心・安全な環境の保障であり，暴力的環境からの保護に留まらず，①②が保障され，無条件に受容されている実感を子どもが持てる環境を意味する。そして，①〜③を保障することが，④の自尊感情の向上につながると述べている。

　保育士は，日常生活の中で子どもにとって安心・安全な環境を提供し，その中で愛着形成や信頼関係の構築を進めるが，養育に関しては1人で抱え込まず，スーパーバイザーや家庭支援専門相談員等の専門職と連携しながら支援に当たる必要がある。

❸リービングケアとアフターケア

　家庭復帰を含めて，退所に向けた支援をリービングケアという。児童養護施設では，在籍年数が3年を超えると長期入所になる可能性が高いことが指摘されている。家庭復帰が見込まれない場合，子どもは原則，高校卒業まで施設での生活となる。そのため，自立に向けて，炊事や金銭管理等の生活技能や，就職に向けた職場体験や資格の取得，仕事上のマナーの習得，困った時に利用する相談先の把握等を身につける必要がある。

　18歳での強いられた自立は，特に実親のサポートを得ることが困難な子どもには，退所後も継続的な支援であるアフターケアが必要となる。東京都が行った児童養護施設等退所児童への調査の中で，「現在困っていること（「大変困っている」「少し困っている」）」という項目の回答は，「生活全般の不安や将来の不安について（51.5％）」，「現在の仕事に関すること（37.4％）」，「家族，親族に関すること（37.1％）」と続いている。また，同調査において，「生活保護を受けている（10.7％）」，「受けたことがある（9.5％）」の回答を合わせると20.2％となっていることからも，退学や離職した後の支援や，金銭トラブルに対する支援は予防策を含めて重要である。

　2020（令和2）年度より児童養護施設等においては，自立支援体制の強化として「自立支援担当職員」の配置ができることとなり，退所に向けた関係機関との調整や，退所後のアフターケアを担っている。また，国の政策として2017年に，自立支援事業や身元保証人確保対策事業が整備された。また，一定期間，就職継続すれば，学費や生活費等の返還が免除される自立支援資金貸付事業が制度としてあり，退所後も生活面や金銭面での支援が受けやすくなってきている。そのため，児童養護施設からの

大学等進学率は上昇傾向にあり，40％程の子ども達が進学している。その他，アフターケアや就職のマッチングを担うNPO法人も増加しており，自立支援の充実が図られている。

❹自立援助ホーム

アフターケアを担う事業として，自立援助ホームがある。児童福祉法に基づいた「児童自立生活援助事業」として第2種社会福祉事業に位置付づけられ，児童の自立した生活を支援する場であり，日本では，317カ所（2023年10月現在）ある。グループホームのような家庭的な環境の建物が多く，1居室の定員は1名か2名を基本として生活している。義務教育終了〜20歳未満が対象であり，家庭での生活が困難な者や，児童養護施設等において，高校を中退した者等が，児童相談所長の判断で入居する。

なお，2022（令和4）年度の児童福祉法改正において「児童自立生活援助事業」の対象となる年齢制限が撤廃され，都道府県知事が自立生活援助を必要と認めた者は，児童養護施設，自立援助ホームや里親等により自立支援を受け，より安定して自立を目指すことのできる生活環境の整備を図ることになった。

❺スーパービジョン

この節では，入所施設における子どもの支援について述べてきたが，支援を充実させていくための方法としてスーパービジョンがある。スーパービジョンとは，経験を積んだ熟練職員（スーパーバイザー）が他の職員や実習生（スーパーバイジー）に対して行う専門指導である。具体的には，指導を受ける職員や実習生が，所属する施設の方針などの理解を深めてもらうと同時に，専門職として成長していくための教育を受けることや，心理的な負担を軽減してバーンアウトを防ぐことである。

上述してきたように，施設へ入所する子どもは，被虐待児の増加や，何かしらの障害を持つ子どもが増え，細やかな支援が必要となっている。そのため，スーパービジョン体制を構築することは，質の高い人材を育成し，適切な支援を行う上でも重要である。現在，厚生労働省は，乳児院や児童養護施設等で職員の指導等を行う基幹的職員（スーパーバイザー）を養成するための研修を実施し，施設職員の専門性の向上を図っている。

【事例問題】

　　あなた（山田さん）は，児童養護施設で働く保育士とする。あなたが担当
している小学1年のサクラちゃんは，両親からの虐待が原因で入所している。
入所からおとなしい子で，あなたの言うことも良く聞いていた。そして，3
カ月が経過し，施設の生活にも学校にも慣れた様子であった。

　　しかし，ここ数日は，あなたに対して暴力的な言動が目立つようになり，
あなたに物を投げつけたり，叩いたりしてきた。やめるように諭しても「う
ざい！」「親でもないくせに！」といった言動がある。そして，今日は，あ
なたが渡したお菓子を「こんなものいるか！」と投げつけてきた。

[問題1]　なぜ，サクラちゃんは乱暴な口調になり，お菓子を投げつけてきたのだろう
　　　　か。サクラちゃんの立場に立ち，その推測される理由を個人で考えてみよう
　　　　（箇条書き可）。

_____

_____

_____

_____

　　　　　　どのような意見が出たか，グループで話し合ってみよう！

[問題2]　2人組を組み，物を投げてきたサクラちゃんと，それに対応する保育士であ
　　　　る山田さんの立場で，それぞれロールプレイをしてみよう！
　　　　山田さんの立場の人は，1回目はサクラちゃんに対して「批判的な言動」で
　　　　行い，2回目はサクラちゃんに対して「受容的な言動」で行ってみよう。サ
　　　　クラちゃんの立場に立つ人は，山田さんの批判的，受容的それぞれの言動を
　　　　受け，どのような感情が生じるのかを意識しよう。
　　　　終了後，サクラちゃん役を通して，山田さんの「批判的言動」と「受容的言
　　　　動」はどのように感じましたか？　山田さんのサクラちゃんに対する対応に
　　　　ついて話し合ってみよう！

【注】

1）「児童養護施設等における小規模グループケア実施要綱」では，児童養護施設における１グループの定員は６人（分園型小規模グループケアは４人以上６人以下），乳児院は，４人以上６人以下，児童心理治療施設及び児童自立支援施設は，５人以上６人以下と示されている。

2）他に児童養護施設のグループホームとして，地域の中の住宅地等に設置される「地域小規模児童養護施設」があり，607カ所（令和５年度）設置されている。

＜参考文献＞

新たな社会的養育の在り方に関する検討会「新しい社会的養育ビジョン」，2017年

伊藤嘉余子「養育・支援の展開」『子どもの養育・支援の原理―社会的養護総論―』相澤仁編代，明石書店，2012年，pp.185-198

厚生労働省「乳児院運営指針」，2012年

厚生労働省「児童養護施設運営指針」，2012年

厚生労働省「情緒障害児短期治療施設運営指針」，2012年

厚生労働省「母子生活支援施設運営指針」，2012年

厚生労働省「児童自立支援施設運営指針」，2012年

厚生労働省「障害児入所施設運営指針」，2021年

厚生労働省通知「地域小規模児童養護施設設置運営要綱」

厚生労働省通知「児童養護施設等における小規模グループケア実施要綱」

厚生労働省通知「児童養護施設等における自立支援体制の強化について」

こども家庭庁「社会的養育の推進に向けて（令和６年６月）」，2024年

こども家庭庁支援局家庭福祉課，こども家庭庁支援局障害児支援課「児童養護施設入所児童等調査の概要（令和５年２月１日現在）」，2024年

児童養護施設等の社会的養護の課題に関する検討委員会・社会保障審議会児童部会社会的養護専門委員会とりまとめ「社会的養護の課題と将来像」，2011年

社会福祉法人奈良県社会福祉協議会編『ワーカーを育てるスーパービジョン―よい援助関係をめざすワーカートレーニング―』中央法規，2000年

東京都福祉保健局「東京都における児童養護施設等退所者の実態調査報告書」，2017年

林　浩康「子どもの権利と児童養護」『社会的養護の現状と近未来』山縣文治・林浩康編著，明石書店，2007年，pp.113-128

福井　充「子どもの長期入所からの脱却を目指して」『児童相談所改革と協働の道のり―子どもの権利を中心とした福岡市モデル―』藤林武史編著，明石書店，2017年，pp.105-160

山本真知子「社会的養護の専門職・実施者」『社会的養護』相澤仁・林浩康，中央法規，2015年，pp.85-96

学習内容を確認してみよう！

大舎制とグループホームのメリットとデメリット

問題1　施設の小規模化が進み，グループホームの設置が増えているが，グループホームで生活することはメリットと同時に，デメリットも存在する。ここでは，大舎制とグループホームのメリットとデメリットについて，子どもの生活における影響ももちろんだが，職員の立場からも考えてみよう。

	メリット	デメリット
大舎制		
グループホーム		

家庭的養護推進のため，グループホームの設置は進められているが，グループホームでの生活はメリットがある一方で，デメリットの部分も指摘されている。デメリットの対応策も含め，詳しくは厚生労働省ホームページ「児童養護施設等の小規模化及び家庭的養護の推進のために」を参照してみよう！

私が大切にすること

児童養護施設　聖友学園
保育士　**川井鈴音**

　児童養護施設における保育士の役割は，入所する子ども達が安心して日々の生活を送り，健やかに成長出来るようサポートすることです。食事提供や掃除などの環境整備や学校行事の参加，子どもの精神面のケアなどその仕事内容は多岐に渡ります。

　虐待等により，家庭で健全な養育の機会が失われてきた子ども達は，朝起きて朝食を摂ることや，躾を受けた経験等が乏しいため，衣食住の整った規則正しい生活を送ることに混乱や反発もあります。それを受け止めるのも施設職員の役割です。そのため，日々の支援に対してすぐに結果や変化が見える仕事ではありません。長期的に子どもの成長を見据えた支援であることは，やりがいでもあり大変なところでもあります。自分がかけた言葉，自分の行動が子どもにどのような影響があるのか，プラスになっているのかを検証しながら子どもの人生に関わっているという責任感を持って働いています。

　子ども達と信頼関係を築いていくのは簡単なことではなく，時には暴言を吐かれ，心が折れそうになることもあります。それでも，子どもが好きなことを調べて話のきっかけを作ったり，子どもの思いを汲み取って何時間でも話を聞いたりして，子どもと関わる時間を大切にしています。裏切られることがあっても，何度も信じて居場所があることを伝え続けます。

　そうして，少しずつ子どもとの距離が縮まり，自分の気持ちを伝えることが苦手だった子どもが気持ちを伝えてくれるなど，子どもの変化や成長が見られた時には「思いが届いてよかった」とやりがいを感じます。そんな一つ一つの変化が愛おしく，また根気強く関わろうと思わせてくれるのです。子どもに信頼されることは何より嬉しいことです。

　子ども達と接する時に私は，一人ひとりを個別化して，特別扱いするということを大切にしています。自分を肯定できない子どもが多い為，「大切な存在だよ」というメッセージを言葉や行動で伝えて，自分を大切に出来るようになってほしいと願っています。かけがえのない大切な子どもたちが，施設を出て社会に出た時に，自分がやりたいことに向かって人生を切り開いていけるよう，今私に出来る最善の支援を求め続けていきたいと思います。

第5章

自立支援と支援計画の策定および自己評価

本章の要点

　社会的養護の現場とは子どもとの生活である。社会的養護に携わる人々（以下，支援者と記す）にとって，この「生活」を，子どもたちを「支援するための道具」として捉える視点は重要である。なぜなら，日常の「生活」の場面（例えば，起床，着替え，食事，学習，入浴，遊び，就寝など）における支援者と子どもとのかかわりが，「自立支援」の過程そのものと捉えることができるからである。そこで，この章では，社会的養護における自立支援の捉え方と，支援計画を策定し評価することの重要性について，ソーシャルワークの視点を取り入れながら学習していく。

【キーワード】

自立　自律　レディネス　支援のミスマッチ　アセスメント　ソーシャルワーク
ケアマネジメント　児童票　記録　第三者評価　アカウンタビリティー

学習する前に予習しておこう！

問題1　あなたへ質問です。あなたにとって「自立した生活」とはどのような生活のことを指しますか。あなたがイメージする「自立した生活」として思いつく表現を，「○○な生活」というように，できるだけ多く書き出してみよう。
例）「自分で家賃を払える生活」

問題2 もし，支援者による子どもやその家族へのかかわりが，支援する側の個人的な「経験」や「直感」「思い」によってのみ重ねられたとしたら，どのような弊害が起こると考えられますか？

はじめに

社会的養護の実践現場では，日々，生活が営まれている。社会的養護に携わる人々（以下，養育者と記す）にとってこの「生活」は，そこで暮らす人々を「支援するための道具」として捉える視点が重要である。なぜなら，日常のあらゆる「生活」の場面（例えば，起床，着替え，食事，学習，入浴，遊び，就寝など）を通じて，養育者が子どもとかかわる過程そのものを「支援」と言い換えることができると考えるからである。

ところが，社会的養護の実践現場では，目まぐるしく変化する子どもや家族の状況への対応に追われたり，また「日課」に象徴される画一的な枠組みをもって対応したりすることも少なくない。このような状況は，養育者によって対応が異なるためにかかわりの一貫性が保たれない，あるいは子どもや家族の個別性への適切な配慮がなされない生活環境を生み出すことにもつながり，子どもの最善の利益を保障することにはならない。そのため養育者には，子どもや家族の状況を丁寧にアセスメントし，定められた支援計画に沿って実践を重ねることが求められている。

1．社会的養護における自立（自律）支援

社会的養護の実践者として利用者に寄り添う支援を展開しようとするとき，求められる自立支援とはいったい何かという問いに突き当たる。この問いは初めて実践の現場に臨む初任者であっても，また数十年実践を重ねてきたベテラン職員であっても常に向き合わざるを得ない問いといえる。また，「じりつ」とは「自立」を指すのか，あるいは「自律」を指すのかなど，実践現場の中でも混乱が起きやすい。しかし，この用語は実践現場ではあまりにも日常的に使われているため，実践者の中には，この用語の持つ意味を十分吟味することなく定型句のように使用している人も少なくないのではないかと危惧している。北川（2010）は，「自立」という用語について，「児童福祉法の改正を契機に，実定法上の意味をもつことになった『自立』とその『支援』については，これまでのところ，児童養護施設のもつ本来的機能との関連から，その理念と実践方法が体系的に提示されるまでには至っていない」と指摘し，さらに「このような混迷から抜け出る糸口として，児童養護施設が実践目標として掲げることになった『自立』をどのような意味で捉えるかの議論は避けるべきではない」と指摘している[1]。では，北川の指摘にある児童養護施設のもつ本来的機能とはどのように捉えることができるのだろうか。このことへの探究が，社会的養護における「自立」を

考えるうえでの重要な切り口になる。

　ところで，日本語は同じ読み方でも漢字表記の違いから異なる意味を持つ用語がある。「じりつ」もその典型である。「自立」と「自律」それぞれ意味を考える際には，英語に置き換えてみると，言葉の持つニュアンスが少し捉えやすくなる。まず，自ら立つという意味を持つ「自立」とは，英語に訳すと「independence」という単語になる。一方の自らを律するという意味の「自律」は「autonomy」と訳される。ここで強調しておきたいことは，われわれが子どもやその家族の支援を考える時，目指すところが「自立」なのか「自律」なのかを切り分けて捉えるのではなく，それぞれの意味を区別しつつも，両者を関連づけて支援することの重要性である。言い換えるならば，「自立」した生活を営むための過程には，その人が「自律」した生き方を身につけているか否かが関連しているという捉え方である。改めて北川（2010）の指摘に目を向けてみたい。北川は，ソーシャルワークとの関連から「自立」の捉え方を次のように指摘する。すなわち「『自立』とは，単なる『経済的自立』や『独立生活』を意味しているのではなく，『多様性』への配慮を基本に据えて検討を加えるべき概念である[2]」と。そして，施設養護において子どもたちの「自立」を支援する実践については「順調かつ平穏な『暮らし』を阻害する多様な要因を調整する介入活動として説明することができる[3]」とした。この指摘と児童養護施設における暮らしの風景を重ね合わせると，様々なエピソードが浮かんでくる。児童養護施設で生活する子どもたちは，入所前の生活を通して経験したことを施設生活の中に持ち込んでくる。したがって，多様な経験を持った子どもたちの暮らしは，平穏・無事とはいかないことが多い。例えば，入所前の生活で養育者から暴力を受けてきた子どもの多くは，自らの思いや願いを主張する手段を暴力で表現することをすでに学んでいる。そのため，彼らと他の入所している子どもとのトラブルには常に暴力が介在し，施設職員はその仲裁に追われることになる。また，いわゆるネグレクト（養育怠慢・養育放棄）を理由に入所してきた子どもの中には，一見すると他の子どもとの間でトラブルを起こすこともなく，職員からの声掛けにも応じるため，職員には「手のかからない子（＝課題の少ない子）」として映ることがある。しかし，こうした子どもたちは，他者との関係を保つことが苦手なために，幼稚園や学校で他の子どもとトラブルを繰り返し起こしたり，施設生活で経験したことが積み重ならなかったりすることがある。そして，施設職員は時間の経過と共にそのような子どもに対して「かかわりにくさ」を感じるようになる。これらは先ほど北川が指摘していた「順調かつ平穏な『暮らし』を阻害する多様な要因」の一例と捉えることができる。子どもたちは，入所して間もない頃や

年齢が低い頃には，自らの主張を通そうとして他者との間でトラブルを繰り返したり，あるいは自分を表現することを過度に控えようとしたりする傾向を示すが，やがて施設職員の意図的なかかわりによって展開される施設生活を通じて，自分の入所前の生活経験が他の子どものそれと異なることを実感したり，その違いの意味を考えるようになったりする。そして，自分の行動を振り返る機会を重ねることで自らを律するようになり，自らの人生を主体的に歩もうとするような生き方と出会うのだろう。したがって，この過程では，施設職員による意図的なかかわりがとても重要な意味を持つことは言うまでもない。このかかわりの総体こそが「自立支援」の過程と捉えることができ，北川の「児童養護施設職員は，子どもたちに，施設という空間のなかでいかなる「経験」「機会」「場」を提供することにより，阻害状況をクリアできる生活設計能力（＝主体的に自らの『暮らし』を設計し，その実現に向けた実行能力）を育むことが出来るかの課題を突きつけられることになる[4]」との指摘にもつながるのである。

2．支援計画策定の意義

　それでは，先ほど述べた施設職員による「意図的なかかわり（＝自立支援）」の過程とはどのようなものなのだろうか。井出（2018）は，これまで実施された児童養護施設を対象としたアンケート調査の結果などを先行研究として例示しながら，児童養護施設における取り組みでは「対人関係や金銭，料理等，社会的スキルや生活スキルの習得を目的とした取り組みが行われ，将来展望を育んだり，キャリアを形成したりする取り組みが行われてこなかった 」と指摘する。そして，そうしたスキルの習得を促す場合であっても，子どもたちへの動機づけが重要だとして，「子どもたちが主体的に将来に向けた課題を設定し，自ら行動していくような過程を重視し，スキルを身に付けるため，自立を進めて行くためのレディネスを形成することが不可欠[5]」だという。社会的養護の現場には，子どもたちの力になりたい，子どもたちの将来に役立つ支援をしたいとの考えを持ってこの道に入る人が多いと仮定すると，井出の指摘はどのような意味を持つだろうか。子どもやその家族に対する支援が「意図的なかかわり」であったとしても，その意図が支援者側の思い込みや子どもや家族に対する支援者の「あの子（あの家族）には，〇〇のようであってほしい」などという個人的な「思い」「願い」「期待」によるものだったとしたら，そこから提供されるかかわりを専門職による支援といえるだろうか。

　今日，社会的養護の現場では子どもに対する施設職員からの不適切なかかわり

（mal-treatment）の実態が看過できない状況にある。施設内虐待と言われる子どもへのかかわり（制限，威嚇，性的関係の強要，無視など）は，そこに支援者側のいかなる「意図」があったとしても到底許容されるものではない。ただ，こうした多くの人が見ても「不適切」とわかるかかわりの他にも，社会的養護の現場には「虐待」とはいえないが，「適切とはいえないかかわり」があることを明記しておきたい。それが，子どもたちと支援者側との間に生じる支援のミスマッチが修正されないままに進められる支援のことである。これは，井出（2018）が「社会的養護における自立支援では，スキルを身に付けさせて施設を巣立たせなければならないなかで行われる支援と，自立していくレディネス（心理的な準備）が整わない子どもたちとの間にミスマッチが起きてしまっている[6]」と指摘したこととも重なる。児童養護施設で暮らす子どもの中には，児童養護施設で生活せざるを得ない自らの事情を十分理解していなかったり，理解はしていても受け入れることができていなかったりする子どもが少なくない。そうした子どもたちに対して，施設職員が，施設での決まり事を押しつけるような対応をしたり，子どもの事情にまったく配慮することなく職員の意のままに操ろうとしたり（パターナリズム）した場合，施設や施設職員に対する子どもからの苦情や要望が寄せられたりすることにもなろう。ただ，このような反応ができる子どもは，施設生活を通じて納得のいかない事態に遭遇した場合の適切な対処法を獲得していると評価できる場合がある。つまり，施設や施設職員に対して苦情や要望が言えるということは，そのことによって自分が傷つけられたりすることはないという施設生活に対する一定の安心感を持っている可能性があるからである。したがって，併せて関心を向けなければならないのは，苦痛を感じる事態に遭遇しても，黙ってその状況を受け入れるかのような態度でその場をやり過ごそうとしたり，そこから逃れるように現実逃避をするような行動（例えば，解離症状を示す）を見せたりする子どもたちである。

　子どもとの間で支援のミスマッチを防ぐために，施設職員は，自分たちとのかかわりの中で子どもたちが見せる表情，言葉遣い，行動や感情の動きに細心の注意を払い，子どもたちが見せる行動と彼らが施設入所を余儀なくされた背景や事情との関連性を丁寧に吟味することが求められる。同時に，自分自身のかかわりが何を根拠に行われているのかを常に説明できる状態にあることが求められる。このように支援者が対象となる子どもや家族が抱える課題を整理し，その課題解決のための方略を定めたものが支援計画である。そして，支援計画が支援者側の思い込みや一方的な思いによる内容にならないように，子どもや家族の意向を聞き取り計画に反映させることが重要である。支援者が常にこの過程を辿ることによって，社会的養護の現場における不適切

段階	児童相談所の動き	児童養護施設の動き
1	児童養護施設へ入所を依頼	施設内で入所の受入調整
2	「児童票」を施設へ送付	児童票記載内容からインテーク資料を作成してアセスメントを開始
3	一時保護所でのインテーク面接	児童票記載内容の確認（主訴の共有） 子どもとの面接
4	施設入所日時の調整 親権者との調整	カンファレンスの実施 子どもの生活必需品を準備
5	入所当日 子どもと担当福祉司が施設に来所 親権者や家族への施設来所調整	児童相談所による子ども・親権者に対する入所理由の説明内容を確認 入所時に必要な書類の収受

図5－1　子どもが児童養護施設に入所するまでの経過（一例）

出所：筆者作成

な支援はもとより，支援のミスマッチを防ぐことが可能になると考えられる。これが，社会的養護の実践において支援計画を立てることの意義である。

　では，実際に支援計画はどのように立てられるか。それを議論するために，まずは子どもが施設に入所するプロセスについて，筆者が勤務する児童養護施設の場合を例に解説してみたい。児童養護施設は，児童福祉法に基づく児童相談所からの措置委託により子どもを入所させることとなっている。入所の依頼があってから実際に子どもが施設に入所するまでにはおおよそ次のような経過をたどる（図5－1）。

　児童養護施設からすると，初めて施設に入所の依頼があってから実際に入所するまでの期間は，可能であれば3週間程度を確保し，児童相談所をはじめとした関係機関と綿密な情報共有や入所後の支援方針のすり合わせをしておきたい。一方，児童相談所としては一時保護所が常に満杯状態であることから，施設入所措置が決定した子どもについては，一日でも早く施設生活を始められるよう準備を進めたい実情もある。各段階でポイントとなることがらをまとめると以下のようになる。

【第1段階】

　児童相談所から入所依頼があった時点は，その子どもの年齢や学年，性別などの基本的な情報を共有し，施設の建物構造や入所している子どもの状況などを考慮し，居室の構成上入所が可能であれば受け入れる方向で，児童相談所へ「児童票」の送付を依頼する。

【第2段階】

　入所依頼の連絡から数日のうちに「児童票[7]」が施設に届く。「児童票」には入所する子どもの名前，年齢，性別，家族構成，相談経路，対応経過，心理学的所見，医学的所見などの情報のほか，児童相談所が定める今後の支援方針などが記載されている。児童養護施設ではこうした情報をもとに，初めて子どもと面接する時に備えて子どもから聞き取ることがらや，児童福祉司と確認が必要なことがらを整理する。

【第3段階】

　施設入所を控えた子どもたちの多くは一時保護所で生活している。施設生活で子どもを担当する職員を軸に，家族支援専門相談員（通称：FSW）や主任など，複数の職員で一時保護所を訪ねる。担当職員は子どもから好きなキャラクターや色，食べ物の嗜好を聴き取りながら，入所に向けた準備に必要な情報を把握していく。同時に，児童福祉司とは，あらかじめ読み込んだ「児童票」の記載内容について確認するほか，現在の親権者や家族の状況，施設入所への同意の有無や入所理由に対する理解の程度などについて情報の提供を受ける。「児童票」の入所理由欄には虐待との記載があっても，親権者や家族はそのような理解に立っていない場合も少なくない。先ほどの子どもと職員のミスマッチと同様に，入所の理由について支援機関と親権者との間でミスマッチが生じたままでは，支援関係を構築することができず，結果として子どもの施設生活も安定しない状況が続くことになる。したがって，支援計画を立てる過程では，インテーク面接の結果が重要な鍵を握るといっても過言ではない。

【第4段階】

　インテーク面接の結果を踏まえ，児童養護施設では入所に備えたカンファレンスを内部で実施する場合もある。その背景には，国の施策により児童養護施設では生活空間と生活集団の小規模化が推進されていることがある。生活空間と集団が分かれているために，職員体制も分断され，施設に入所する子どもの状況を施設全体で把握する（把握しようとする）意識が低下しやすい状況があるからだ。例えば，Aホームに新しく子どもが入所した場合，同じ児童養護施設であっても生活が分かれているBホームにとっては，その子どもについて状況を把握していなくても日常の生活支援に影響が及ぶことはほとんどない。このことが，児童養護施設の内部における職員間の連携を難しくしている。加えて児童養護施設には生活支援を担当する保育士や児童指導員のほかにも，心理士や栄養士のほか，さまざまな職種の職員がいる[8]。子どもやその家族への支援過程では，こうした他職種が連携して取り組まなければならず，そうした体制を整える意味でもカンファレンスを実施し，支援計画策定に向けた情報共有を図

る必要がある。

【第5段階】

　入所当日は，子どもや家族，また施設にとっても重要かつ緊張感を持って迎える日である。この時点で，親権者や家族の中には施設入所には同意していても，入所の理由については正確な理解には至っていない状況にあることも多い。子どもも同様に，なぜ自分が家族の元を離れて施設で生活しなければならないのかを理解せず，ただ，児童福祉司から受けた説明と指示に従って施設にたどり着いたということもあったりする。したがって，子どもを受け入れる施設側としては，担当児童福祉司と協力して，子どもや親権者と「入所理由」，「今後の支援方針」を説明する機会をつくり，それぞれの思いを聴き取ろうとする姿勢が重要である。仮に，子どもや親権者からこの時点において児童相談所が示す支援方針に対する合意を得られなかったとしても，継続して協議する姿勢を示しながら「子どもにとっての最善の利益」とは何かという視点を軸に支援方針の検討を重ねていくことになる。

3．支援計画の作成方法

　ここまで見てきたように，社会的養護における支援計画（書）は，子どもやその家族がどのような支援を受けるかを定めたものであり，支援者にとっては取り組むべき道筋を表す羅針盤ともいえる。今日的な表現に置き換えれば，自動車のナビゲーションシステムのような機能を持った重要な計画である。支援計画を策定する上で最も重要なものは何であろうか。それは，ゴール設定である。ナビゲーションシステムも目的地を設定しなければ，それはただ現在地を示しているだけで，運転者はその先を想定した的確な運転をすることはできない。一方，ナビゲーションシステムによる道案内が無くても目的地を定めればそこに車を走らせることのできる人はたくさんいる。しかしそれは，たまたま，その人が地理感覚や経験則として道のりを覚えていたに過ぎず，その人独自の「経験」や「直感」に基づいた運転の結果である。もし，社会的養護における支援が，支援計画を定めずに展開されるとしたならば，ナビゲーションシステムの案内を受けない車の運転と同じように，支援者の個人の「経験」や「直感」の程度により，支援が迷走するリスクが高まることを意味する。つまりそれは，支援を必要としている子どもや家族の思いや願いが支援の過程には反映されない状態といえる。さらに，支援のゴールが定まっていない支援計画は，計画そのものが形骸化し，支援者による日々のかかわりは，「直感的」「偶発的」「その場限り」のものになるリ

スクがますます高まることになる。

　支援計画は，その作成過程そのものが作成者の「経験」や「直感」にのみ基づいたものであったならば，適切な支援を提供することにはつながらない。子どもの支援計画を作成する際には，ソーシャルワークの展開過程に沿って支援を展開することが有効である。すなわち，「問題の発見」→「インテーク」→「アセスメント」→「プランニング」→「介入」→「モニタリング」→「集結・再アセスメント」の過程をたどることである。先述した児童相談所から子どもが入所する過程においては，「インテーク面接」が重要になることを指摘した。ここでは，その後の過程となる「アセスメント」と「プランニング」について詳しく述べたい。

【アセスメント】

　社会的養護の実践におけるアセスメントの過程は，主に3つの場面が相互に関連し合って構成されるといえる。最初に着手するのは，児童相談所から送られてくる「児童票」の記載内容など，文書や書類を通じたアセスメントである。特に「児童票」（図5−2～図5−4）によるアセスメントは子どもが実際に入所する前から着手することが望ましい。子どもやその家族の全体的な状況を把握し，その子どもが入所するに当たってその子自身に対してどのような配慮が必要となるかを想定することが大きな目的となる。加えて忘れてはならないのが，新入所を迎える側となるすでに生活している子どもたちへの配慮である。特に児童養護施設の場合は規模の差はあっても，その生活は集団を構成して営まれるところに特徴がある。そのため，児童養護施設職員は「児童票」から得られた情報を手がかりに，入所する側と迎える側双方にとって動揺や混乱を最小限に留めるための計画を練る必要がある。また入所時には，施設は親権者から「母子手帳」を預かることになるので，筆者が勤務する児童養護施設では，助産師がその記載内容（例えば，記入されるべき記載事項が記入されているか否か，胎児期の経過，母親が記入した文字など）から母親が子どもを妊娠してから出産に至るまでの経過を整理し，そこに疑問や気がかりな点があれば，母親と面会する機会を持った時にはいつでも話題にできるよう準備している。

　続いての場面が，親権者や家族ら関係者との直接的なやりとりを通じて行われるアセスメントである。これは主に対面あるいは電話による面接によって行われることが多いが，手紙のやりとりを通して行われることもある。窪田（2013）は，アセスメントにおける面接の重要性を強調しながら，「主訴として訴えられる内容の全体的イメージを具体的に描くために，出来るだけ詳細に，困難の内容，それが生活のどの局面にどのような不具合をもたらしているか，それをどうやって凌いでいるかなどを，ク

受理年月日	令和　年　月　日　相談歴　有・無	担当者	
事　例　番　号	種　別		

<table>
<tr><td rowspan="6">子ども本人</td><td>ふりがな
氏　名
（通称）</td><td colspan="2">（　　　　　　　　　　）</td><td>性別</td><td>男
女</td><td colspan="2">生年月日（H・R）

　　　年　　　月　　　日</td><td>年齢</td><td></td></tr>
<tr><td>保育所
等利用</td><td>保育所
幼稚園</td><td colspan="6">保育所・学校名等　　　　　　　　　　　　　　　　　学年　　年
担　任　　　　　　　　　その他の関係職員</td></tr>
<tr><td>本籍地</td><td colspan="7">都　道　府　県（外国籍　　　　　　　　　）</td></tr>
<tr><td>現住所</td><td colspan="7"></td></tr>
</table>

保護者	氏　名		続　柄	
	現住所			
	電　話		勤務先	（留意）

保護者	氏　名		続　柄	
	現住所			
	電　話		勤務先	（留意）

相談者	子どもとの関係

主　訴	

家族状況	続　柄	氏　　名	生年月日	年　令	職　業 （就業時間）	健康状況	備　考 （居住等）

生活状況		経済状況	

福祉サービス・ 機関等利用状況	

統計分類	経路			種類別			処理		

図5－2　「児童票」フェースシート

受付　令和　　　年　　　月　　　日　（新・再）

受付面接に関する事項

1面接結果　2援助状況　3面接所見

担当者

図5－3　「児童票」受付面接

主たる問題（主訴）

1 問題の事実　2 問題の状況・状態（頻度，深度など）　3 問題の経緯（初発年齢など）
4 問題に対する子ども・保護者の認識・態度　5 特記事項

年　　　月　　　日　担当者

図5－4　社会・心理診断（社会・心理アセスメント）

ライアントの対話のなかから，また主訴について語るクライアントの『話し始め』の雰囲気と内容，さらにそこに含まれるこれまでの経過の説明などから読み取り，そこに含まれている感情に共感しつつそれを理解し，適切な質問を重ねることを通して，問題の背景を含めた客観的な状況を把握する努力をしなければならない[9]」と，面接に臨む支援者の姿勢を述べている。

　子どもが施設に入所した後，子どもと家族との交流が始まると，一概には言えないが親権者や家族との接点を持つ機会は，児童相談所よりも児童養護施設の方が多くなる傾向がある。したがって，入所前とは異なり，施設の方が親権者や家族から情報を得やすくなるため，施設職員は，「児童票」によるアセスメント結果を手がかりに，常にどのような情報を得る必要があるかを想定し，計画的に面接の場に臨まなければならない。もし，このような事前の準備をしないまま面接に臨むと，その場で語られる内容の重要度をリアルタイムに判断できず，聞き流してしまったり，適切な応答ができなかったりすることがある。窪田が指摘したように，面接のやりとりにはその場限りの流れや雰囲気がある。聞き逃した内容の重要性を後から気づいたとしても，時間軸を戻すことはできない。別の機会に改めてこちらから問いかけて話を聴く場合もあるが，一度話したことを再び話題にされることは相手にとってあまり印象のよいものではない。面接に臨む職員は，その場その場が貴重な情報収集の機会であることを心に留めて，1回1回の面接をどのように展開するか想定しておくことが求められる。

　そして，3つ目の最も重要といえるアセスメントの場面が，子どもとの生活場面である。これは，一見すると何気なく展開されている生活の中から，支援者が意図的なかかわりを通して子どもの支援課題をより明確化する作業といえる。施設職員は，「児童票」に記載された内容と実際の生活で見られる状態とを仮説的に関連づけながら，子どもにとって必要な支援について日々のかかわりを通した試行錯誤を重ねて明確にしていくことになる。

　こうした一連の過程を，PCソフトを活用することによって可能にしようとする試みが北川清一によって行われている。北川は，当時の厚生省児童家庭局家庭福祉課長通知「児童養護施設等における入所者の自立支援計画について」（平成10年3月5日児家第9号）[10] が発出される以前から，東京都内の児童養護施設職員等で構成する「児童養護施設ケアマネジメント研究会」を立ち上げ，児童養護施設職員が正確なアセスメント能力と支援計画の策定能力を習得することを企図した学習会を重ねてきた[11]。この研究会の議論から生まれたのが，「子ども自立支援計画サポートシステム」であった。このシステムは，現在もいくつかの児童養護施設で稼働し実践が重ねられてい

る。このソフトの特徴は，その名前から想像できるように，いわゆる支援（育成）記録を蓄積するためではなく，自立支援計画を策定しようとする施設職員の作業をサポートすることを意図して開発された点にある。北川は，児童養護施設職員がこのシステムを活用することによって，支援計画を策定する基本的な手法を身につけ，実践力を高めていくことを期待している。

4．支援計画の実施と評価

　アセスメントを重ねて定められた支援計画を評価するためには，支援計画に沿って取り組まれた実践の記録が重要な意味を持つ。社会的養護における「記録」は，支援計画の実施状況を書き留めたものであり，いわゆる「日記」とは異なる。児童指導員や保育士を目指す学生は，養成校時代に必ず現場実習を経験し「記録」の重要性を具体的に学ぶ。自分が実習した一日のことを実習ノートに「記録」として残そうと懸命にペンを走らせるが，実習前半頃までは，実習ノートの内容が実習記録というよりは，その日の出来事を「日記」のようにまとめている学生が多い。しかしこれは学生にのみ要因があるわけではない。なぜなら，実習生は限られた実習期間の中で，子どもの支援計画を十分把握する機会を持てない場合もあるために，支援計画を意識しながら子どもとかかわり，そのエピソードを分析し書き残すことのできる状況にはない場合もあるからである。

　ところで，もし実践者が，実習生と同じように子どもたち一人ひとりに策定された支援計画を把握することなく子どもとかかわっていたとしたら，どのような実践記録が残されるだろうか。おそらくその実践者が残す記録も，実習生と同様に「日記」の域を出ることはないだろうと考える。つまり，それほど支援計画と記録には密接な関係があり，支援計画を評価するに際しても重要な意味を持っていることを強調しておきたい。

　例えば，ある子どもの記録で，「今日は御飯をおかわりしました」という内容が1週間続いたとする。この記録からわれわれは一体何を読み取り評価することができるであろうか。仮に評価したとしても，「1週間御飯をおかわりし続けたよく食べる子どもだ」という程度のことで，その事実がこの子どもの育ちにとってどのような意味を持つのかについては評価するポイントを捉えることができない。

　一方で，この子どもが，実はネグレクト環境下で育ってきた経験を持ち，施設生活の中で食事に対してほとんど関心を示さない時期があったとしたらどうであろうか。

その場合，おそらくこの子どもが食事に関心を持てるようにするための意図的な取り組みが，支援計画に盛り込まれるはずである。その計画を先ほどの手法に沿って例示すると次のようになる。（図5-5）

子どもの状態（アセスメント）	ネグレクト環境下で育った影響により，食事に対する関心が低く，十分な栄養を摂ることができない。
支援目標（短期）	食事をすることの楽しさを感じられるように工夫し，本児が食べることに興味と関心を持てるようにする。
支援計画（生活状況）	栄養士，調理員と連携して食事の提供方法を工夫し，目先の変わる飾り付けや盛りつけに変化を持たせる。 本児と食事を共にする職員は，「おいしそう」「おいしいね」など声をかけながら，本児と一緒に食事をすることが職員にとって楽しいというメッセージを送り続ける。

図5-5　食事に関心を示さない子どもへの支援計画例

出所：筆者作成

　実践者がこのような支援計画を把握して子どもとの食事場面を共にしたならば，記録の内容が次のような書き方に変化するのではないだろうか。すなわち，「今日の献立はハンバーグであった。楊枝で作った国旗を用意し，ハンバーグに立てて提供した。本児はその旗に興味を持ちながらハンバーグを口に運び，職員がハンバーグのソースを御飯につけて一緒に食べるとおいしいよと声をかけると真似をして食べていた。その味が気に入ったようで，御飯をおかわりしていた。目先を変え，新たな食べ方を提案したりすることで食事を楽しむ姿が見られるようになってきた」と。このように，支援計画と関連づけた記録が蓄積されていけば，子どもの変化だけでなくその変化に影響を与えた取り組みはどのような内容であったのかを読み取ることもできるようになる。そして，そこから支援計画の妥当制や適切性を評価することにつながっていくのである。

　次に，社会的養護においても評価が求められるようになった背景について触れておきたい。志村（2018）は，「社会福祉の諸サービスの質的向上や，透明性を確保するためにアカウンタビリティーが求められるようになっている。アカウンタビリティーは説明責任と訳され，専門職がサービスを提供する倫理的基盤を明らかにし，サービス提供の方法や結果を明示することなどが含まれている[12]」と指摘する。さらに，われわれが誰に対する説明責任を果たすことが求められているのかという点について，

志村の指摘を参考にすると次のように整理することができる。

①　実際に支援の対象となっている子どもやその家族に対する説明責任

②　施設がある地域住民に対する説明責任

③　支援活動の基盤となる公的資金を納めている納税者（国民）

①と②については具体的に対象となる人の存在をイメージできるため実感性があるかもしれないが，③は不特定多数の人を意味しており，なかなか実感できないかもしれない。しかし，児童養護施設の場合，子どもの生活にかかる費用はもとより，施設職員の人件費，建物の維持管理費など，施設の運営にかかわるすべては国と都道府県が折半して施設に支弁する措置費（税金）によって賄われている。そして，この措置費が適切に使われているかを行政が点検する機会が，指導検査（行政監査）である。ここでは，補助金の収支を検査する会計監査のほか，施設の運営に関する監査と支援内容に関する監査が行われる。特に支援内容については，自立支援計画と育成記録の内容に関連性があるかなど，記録の質が問われるようになってきている。さらに，一人の子どもの記録を数年間にわたって閲覧することで，施設として支援の一貫性や継続性をどのように担保しているかの説明を求められることもある。

また，行政とは別に，施設は第三者評価機関としての認定を受けている団体等による評価を受審することも義務づけられている。東京都の場合は，毎年施設に対して第三者評価事業の受審経費を独自に支弁することで，指導検査同様に毎年受審することを実質的に義務づけている。

福祉サービス第三者評価事業は，施設運営（組織マネジメント）と子どもへの支援（利用者サービス）で構成されている。組織マネジメントの評価については，施設職員一人ひとりにアンケートが配布され，施設運営に関することと子どもへの支援に関することそれぞれについて自己評価をするようになっている。2018年度からは，職員対象のアンケートの項目の中に，従来の施設に対する評価項目に加え，職員が自分の実践状況に対して自己評価する項目が加わるなど，評価の視点も少しずつ変化していることがわかる。

一方，利用者サービスの評価の過程では，利用者調査として評価者が子どもたちと面接をし，施設生活に関する要望や意見を直接聴き取る機会が設けられている。聴き取りを好まない子どもに対しては記入式のアンケートが用意されており，子どもたちは施設職員を介することなく評価機関へ直接郵送できるようになっている。利用者調査の質問項目には，自立支援計画の策定状況について問いかける項目がある。近年話題となっているのが，自立支援計画書を子どもと施設職員が一緒に策定することの必

要性である。以前，筆者が勤務する児童養護施設では，聞き取りとアンケートの分析から，子どもたちに自分の自立支援計画書の内容を問う質問に対して，「わからない」と回答する子どもが多いと指摘されたことがあった。こうした状況を鑑みると，支援計画の策定だけでなく，その実施評価についても当事者である子どもと一緒に行う必要があるだろう。子どもの学齢や能力への配慮は必要だが，支援計画に対する基本的な視座は，子どもと共に策定し，子どもと共に目標の達成状況を確認しつつ，半年もしくは1年ごとに評価して，必要な修正を加える機会を施設生活に組み込むことが求められている。

5．まとめ

　本章では，社会的養護における自立支援と支援計画の策定および自己評価について議論を進めてきた。今日，社会的養護における自立支援は，児童養護施設生活や里親のもとでの生活に留まらず，児童養護施設や里親の元を出た後の生活についても，継続して支援することが求められている。これまでの，児童養護施設での生活は18歳を迎え高校を卒業するまでとする考え方から，大学等を卒業する22歳まで入所措置の延長が認められるようになり，社会的養護に対する考え方や制度が大きく変化している。

　最後に，「厚生労働省によると，2017年の児童養護施設出身者の大学進学率は14％で，全国平均52％の3割以下に留まっている。2012年〜2016年の5年間，施設出身者の大学進学率は11〜12％と低迷を続けている[13]」との報道がある。その一方で，日本学生支援機構の給付型奨学金をはじめ，一部の大学や民間団体などが，進学を希望する児童養護施設や里親家庭出身の子どもたちに対して，卒業するまでの学費や生活費を支援しようとする動きも広がっている。その一方で，進学しても中退してしまう子どもが多いことも課題である。今後，さらに資金的な支援が拡充してもなお進学率が上がらない状況があったとするならば，そこには彼らの学力にかかわる課題と新たな人間関係や社会を広げていくためのレディネスにかかわる課題があるのかもしれない。

【注】
1）北川清一『児童養護施設のソーシャルワークと家族支援』明石書店，2010年，p.129
2）北川清一，上掲書，p.129

3）北川清一，上掲書，p.131

4）北川清一，上掲書，pp.131-132

5）井出智博他編著『子どもの未来を育む自立支援』岩﨑学術出版社，2018年，p.23

6）井出智博ほか編著，上掲書，p.24

7）「児童票」あるいは「児童記録票」という名称で児童相談所の児童福祉司によって作成され，入所を依頼する社会的養護の施設や機関に提供される。医者にとってのカルテに相当するものであり，個人情報資料として厳重に管理しなければならない。実際の様式例として，『子ども・若者ケアプランガイドライン』別冊2，厚生労働省，2018年3月に収録されたものが参考になる。図5-2，3，4の様式例を参照のこと。

8）東京都が独自に展開する事業である「専門機能型児童養護施設」として認可された施設には，国の基準が定める職員のほかに，治療指導員，精神科医などの専門職が別途配置されている。そのほか，筆者が勤務する施設では，子どもたちへの性教育とは異なる切り口から彼らの「生」と「性」の課題に対応するため，助産師を独自に配置している。

9）窪田暁子『福祉援助の臨床』誠信書房，2013年，pp.100-101

10）このいわゆる「9号通知」に代わって，現在は，「児童養護施設における入所者の自立支援計画について」（雇児福発第0810001号，平成17年8月10日）によって自立支援計画の策定が義務づけられている。里親家庭においては，児童相談所が策定する自立支援計画に従い子どもを養育することとしている。

11）北川清一編著『三訂児童養護施設と実践方法』中央法規，2005年では，第3章第10講「施設養護と間接支援方法」において，村田典子が当時の北川らの取り組みを紹介している。

12）『社会福祉学習双書2018　社会福祉援助技術Ⅱ』全国社会福祉協議会，2018年，p.64

13）東京新聞，2018年12月16日，朝刊。

<参考文献>

北川清一・稲垣美加子編著『子ども家庭福祉への招待』ミネルヴァ書房，2018年

ドナルド・ショーン著，佐藤　学・秋田喜代美訳『専門家の知恵　反省的実践家は行為しながら考える』ゆみる出版，2001年

橋本圭介『発達保育の基本スキル』秀和システム，2019年

福祉経営ネットワーク編『児童養護施設と第三者評価』筒井書房，2009年

松尾　睦『経験からの学習―プロフェッショナルへの成長プロセス』同文舘出版，2006年

南　彩子・武田加代子『ソーシャルワーク専門職性自己評価』相川書房，2004年

山縣文治編著『リーディングス社会福祉8　子ども家庭福祉』日本図書センター，2010年

吉田眞理編著『児童の福祉を支える社会的養護内容』明文書林，2011年

学習内容を確認してみよう！

問題1 自立支援計画を立てよう。

先日，あなたが勤める児童養護施設に新たに子どもが入所しました。あなたは，その子どもを担当する職員として支援計画を立てることになりました。以下のケース概要を手がかりに，この子どもの支援計画を立ててみましょう。

※解答は，巻末の「自立支援計画書」（キリトリ）を使用する。

〇ケース概要

　本児の名前は創成太郎。2016年4月1日生まれの男児。実父母は2017年6月に離婚。その後，実父は行方不明となった。本児の親権者となった実母は，離婚後しばらく宅配業者でパートとして働く。仕事の間は，事業所内の託児所に本児を預けていた。しかし，職場での人間関係でトラブルがあり，職場に行きづらくなったことから，シフトに入る回数が次第に減っていった。2018年末に宅配業者のパートは辞めている。近隣の住人との交流はなく，友人や親族とのかかわりも確認できない。2019年2月頃，同じアパートの住民から「実母と本児が暮らす部屋から異臭がする」との通報が入った。警察が実母宅を訪問すると，部屋の中にはゴミが溢れ，生ゴミや使用済みのオムツのものと思われる異臭が立ちこめていた。実母も何日も入浴していない様子。警察の突然の訪問に驚き，「何しに来た」と警察官に対して攻撃的な態度を示した。警察は，部屋の奥で寝転んでいた本児を発見した。実母は執拗に警察が本児を保護することを拒んだが，本児はその場で警察に保護され，通告を受けた児童相談所は本児を一時保護所で保護した。実母は児童相談所に対して本児の引取を強く求めたが，児童相談所は実母の生活改善と適切な養育環境を整える必要があると判断し，2019年4月1日付で3歳の本児を児童養護施設へ措置する決定をした。本児は3歳になるが，身長は82cm，体重は12kgと2歳児平均を下回る低身長・低体重児である。アトピー性皮膚炎の症状がみられ，かゆみが強いときは眠れないこともある。食事は手づ

かみで食べ，咀嚼力が弱く，好き嫌いも多い。入浴の習慣も身についていないことから，担当職員が促してもなかなか入浴や着替えをしたがらず時間を要する。排泄は，日中の生活の中で尿意・便意を伝えられず漏らしてしまうことも多く，夜尿も頻繁にみられる。生活の中で職員が声をかけないと，何をすればいいのかわからない様子で黙って座っている。

第**6**章

社会的養護に関わる保育士の専門性

本章の要点

本章では，児童福祉施設で働く職員について整理し，社会的養護に関わる保育士の専門性について，具体的に用いる知識・技術の面から取り上げる。

また，多くの専門職の連携が必要になる児童福祉施設におけるチームワークについて述べる。

具体的には，次の4つの節に分けて知識・技術を学ぶ。第1節，保育士の専門性に関わる知識・技術とその実践。第2節，ソーシャルワークに関わる知識・技術とその実践。第3節，コミュニケーションの技術。第4節，チームワーク。

【キーワード】

マズローの欲求5段階説　ソーシャルワーク　価値・倫理　利用者理解
体験学習のサイクル　コミュニケーション　チームワーク
PDCAの管理サイクル　6W2H　ホウレンソウ（報告・連絡・相談）

学習する前に予習しておこう！

問題1　社会的養護に関わる保育士の専門性を学習する上で，必要な知識として次の書籍などを読んでおこう。

❶社会福祉法
第1章　総則（第1条から第6条），第75条（情報の提供）から第82条（社会福祉事業の経営者による苦情の解決）

❷児童福祉法
第1章　総則（第1条から第7条），保育士（第18条の4から第18条の24），第2章　福祉の保障　第3節　母子生活支援施設入所（第23条），第6節　要保護児童の保護措置等（第25条から第33条の9の2），第7節　被措置児童等虐待の防止等（第33条の10から第33条の17）
第3章　事業，養育里親及び養子縁組里親並びに施設（第34条の3から第49条）

❸児童福祉施設の設備及び運営に関する基準
第1章　児童福祉施設の一般原則（第5条），児童福祉施設における職員の一般的要件（第7条），入所した者を平等に取り扱う原則（第9条），虐待等の禁止（第9条の2），懲戒に係る権限の濫用禁止（第9条の3），衛生管理等（第10条），食事（第11条），入所した者及び職員の健康診断（第12条），給付金として支払を受けた金銭の管理（第12条2），児童福祉施設内部の規程（第13条），秘密保持等

❹社会的養護の指針で，下記の関心のある施設を1つ
乳児院運営指針，児童養護施設運営指針，児童心理治療施設運営指針，児童自立支援施設運営指針，母子生活支援施設運営指針，自立援助ホーム運営指針

問題 2 事前学習で読んだ書籍で印象に残ったキーワードを 3 つ選び，そして，その
ワードを選んだ理由を書いてみよう。

キーワード 1	
選んだ理由	

キーワード 2	
選んだ理由	

キーワード 3	
選んだ理由	

第 6 章　社会的養護に関わる保育士の専門性　97

1．保育士の専門性に関わる知識・技術とその実践

❶保育士の資格と専門性

保育士は名称独占の国家資格であり，前述の社会的養護の施設で専門職として働いている。児童福祉法第18条の4で「この法律で，保育士とは，第18条の18第1項の登録を受け，保育士の名称を用いて，専門的知識及び技術をもつて，児童の保育及び児童の保護者に対する保育に関する指導を行うことを業とする者をいう」と定められている。

そして，児童福祉施設の設備及び運営に関する基準第7条の2には，児童福祉施設における職員の一般的要件として，「児童福祉施設に入所している者の保護に従事する職員は，健全な心身を有し，豊かな人間性と倫理観を備え，児童福祉事業に熱意のある者であつて，できる限り児童福祉事業の理論及び実際について訓練を受けた者でなければならない」と定められている。加えて，第7条2の2では，児童福祉施設の職員の知識及び技能の向上等として，「児童福祉施設の職員は，常に自己研鑽に励み，法に定めるそれぞれの施設の目的を達成するために必要な知識及び技能の修得，維持及び向上に努めなければならない」と定めている。

「すべての子どもは，適切な養育環境で，安心して自分をゆだねられる養育者によって，一人一人の個別的な状況が十分に考慮されながら，養育されるべきである（児童養護施設運営指針）。」そして，これらの実践は多岐にわたる。

では，社会的養護における保育士の専門性について具体的に考えてみよう。さまざまな理由で家族と離れて暮らす子どもにとって，愛着関係や基本的な信頼関係の形成が重要である。

また，一般的に衣食住といわれる日常生活の支援として環境整備や食事作り，食事介助などを行っている。ただ，「料理を作っているだけ」「食事を一緒に食べているだけ」「子どもと遊んでいるだけ」「勉強を見ているだけ」「掃除をしているだけ」なのだろうか。そこには子どもの状況をふまえて作成した支援計画があり，理論・技術が存在している。こうした日常的な子どもとの関わりにこそ専門性が生じるのである。

衣食住の日常生活の支援に加えて，子どもの年齢・発達段階に応じて①健康と安全，②性に関する教育，③自己領域の確保（でき得る限り他児との共有の物をなくし，個人所有とする。成長の記録（アルバム）が整理され，成長の過程を振り返ることができるようにする），④主体性，自律性を尊重した日常生活，⑤学習・進学支援，就労支援，⑥行動上の問題および問題状況への対応，⑦心理的ケア，⑧継続性とアフターケア，⑨家族

への支援，などがある。

　これらは，専門職として，マズローが提唱する「欲求5段階説」に沿った支援を実践しているともいえる。具体的には，子どもの①生理的な欲求（食や睡眠，排泄といった生存のための欲求），②安全と安心の欲求（住居や衣服などで自分の身を守る，不安を取り除き安定したいなどの欲求）という基本的な欲求を保障していることになる。そして，これらをふまえて，子どもの③所属と愛情の欲求（他者と関わりたい，帰属欲求，愛されたいという愛情の欲求），④承認の欲求（尊敬されたい，認められたいといった欲求）に向き合い，⑤自己実現の欲求（自分の能力や可能性を発揮し，自分を向上させたい，充実した人生を送りたいといった欲求）への支援をしているのである。

演習1 　環境整備をする意味について考えてみよう。

　　　　児童養護施設に実習に行った時，配属されたホームのトイレ掃除をしていました。小学校から下校してきた2年生の男児のカズ君が，『なんで掃除なんかしてるの。どうせ，すぐ汚れるんだから。それより僕と遊ぼうよ』と言いました。

　　　　この時，カズ君に対して，どのように対応しますか。

_____

_____

_____

2．ソーシャルワークに関わる知識・技術とその実践

❶ソーシャルワークの定義

　ソーシャルワークは，「社会福祉の専門職が行う活動のこと」を指すが，少し広く捉えるならば，社会福祉事業に携わる専門職が行う幅広い活動ともいえる。

　社会福祉法第2条では，社会福祉事業を第一種社会福祉事業および第二種社会福祉事業に分類している。第一種社会福祉事業には①乳児院，②児童養護施設，③児童心理治療施設，④児童自立支援施設，⑤母子生活支援施設が含まれている。

　ソーシャルワークの国際的な定義として，ソーシャルワーク専門職のグローバル定義が，2017年7月に国際ソーシャルワーカー連盟（IFSW）と国際ソーシャルワーク学校連盟（IASSW）の総会・合同会議において採択された。

> **ソーシャルワーク専門職のグローバル定義**
>
> 「ソーシャルワークは，社会変革と社会開発，社会的結束，および人々のエンパワメントと解放を促進する，実践に基づいた専門職であり学問である。社会正義，人権，集団的責任，および多様性尊重の諸原理は，ソーシャルワークの中核をなす。ソーシャルワークの理論，社会科学，人文学，および地域・民族固有の知を基盤として，ソーシャルワークは，生活課題に取り組みウェルビーイングを高めるよう，人々やさまざまな構造に働きかける。」
>
> この定義は，各国および世界の各地域で展開してもよい。

❷ソーシャルワークの専門性を構成する要素

ソーシャルワークの実践は，専門職としての①価値と倫理，②知識，③技術に根ざしている。それぞれの具体的な内容は図6-1に示しておく。

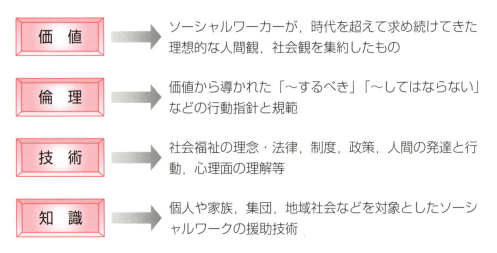

出所：社会福祉士養成講座8『社会福祉援助技術論Ⅰ 第2版』中央法規，2003年，pp.45-50を参考に筆者作成

図6-1　専門性を構成する要素

職員も利用者と同じように，自分自身のこれまでの生活体験などから価値観を形成してきている。支援場面において，自分と利用者の価値観がぶつかり合うことも少なくない。自分の価値観を大切にしながらも，利用者に対して，一方的な価値観の押し付けにならないよう留意しておかなければならない。そのためには自分自身の価値観や傾向を認識しておくとことが必要である。そして，専門職としての支援過程で，立

ち戻るべき価値観は何であるか深く考えなければならない。

　また，自身の価値観と同僚，ほかの専門職の価値観，ソーシャルワーク倫理同士の葛藤も生じる。その時は1人で抱え込まず，他の専門職，先輩，上司からの適切な情報提供や助言，スーパービジョンを受けることが大切である。

1　人権尊重
　人間が人間として生まれながらに持っている権利のこと。（固有性，不可侵，普遍性）

2　尊厳の保持
　利用者の状態がどのように変化しても，その人をかけがえのない存在として尊重し続けること。

3　利用者本位
　利用者の立場に立ち，利用者の意思を最大限尊重すること。

出所：新・社会福祉士養成講座6『相談援助の基盤と専門職　第3版』中央法規，2015年，pp.102-105を参考に筆者作成

図6−2　ソーシャルワーク専門職の価値

演習2 中学3年生のアキラ君の喫煙への対応を考えてみよう。

　　　　担当している中学3年生のアキラ君の喫煙が発覚した。健康にも悪いから止めるように説得しても『ほっておいてくれ。自分の身体だから，お前には関係ない。』と聞く耳を持ちません。この時，どのような葛藤が生じているでしょうか？

❸倫理綱領

　児童福祉施設内での子どもの権利・人権侵害の報告は，残念ながら後を絶たない。子どもの抱える課題も多種多様になっている。また，愛着関係を形成するための取り組みは，子どもにとっても，職員にとっても，決して容易なことではない。子どものさまざまな試し行動を受けとめて対応し，また保護者等への対応も職員の重要な役割となっている。

　しかしながら，1人の職員に課せられる責任は増加する一方である。加えて，子どもによりよい支援を提供するために，地域小規模児童養護施設，少人数のユニット化が進んでいる。生活環境の少人数化には多くのメリットがあるが，反面，職員が1人で子どもと関わる時間が多くなり，こうした対応の密室化が進むことも否めない。閉

第6章　社会的養護に関わる保育士の専門性　101

ざされた生活空間の中で，不適切な支援が行われないように，職員個人・施設全体が取り組んでいかなければならない。その拠り所の１つになるのが，ソーシャルワークの価値であり，倫理である。

　専門職の行動規範となる倫理綱領には，「ソーシャルワーカーの倫理綱領」「全国保育士会倫理綱領」「全国児童養護施設協議会倫理綱領」「乳児院倫理綱領」「全国母子生活支援施設協議会倫理綱領」，などがある。また，施設にはそれらを基盤とした独自の倫理綱領などもあり，利用者へのよりよいサービスを提供するためのものである。これらを十分に理解し利用者支援を行うことが，専門職に欠かせない要素となる。

　また，全国児童養護施設協議会では，2006年11月「児童養護施設における人権擁護と人権侵害の禁止・防止・対応に関する要項およびチェックリスト」を作成し，各児童養護施設で自己点検を進めている。「児童養護施設における人権擁護のためのチェックリスト（個人版）」には次のような質問項目がある。「個人的に子どもの写真や動画を保有していない（撮影していない）」「SNSに子どものプライバシーを書き込む（投稿する）ことはない」。日々，子どもと関わる場面において，子どもから「○○さんのスマホで私の写真をとって」と言われた時の対応も重要となる。

❹利用者理解

　ソーシャルワークにおける支援は，利用者理解から始まる。そのためには，「読む」，「観る」，「聴く」の３つの視点で利用者の情報を収集する。

①　読むは，児童票，ケース記録，健康記録，成績表，手紙などの記録。
②　観るは，利用者の生活状況や顔の表情・視線，服装などの観察。
③　聴くは，利用者や関係する人の話の内容，声の調子や話す速度。

　そして，収集した情報を①身体機能，②精神心理，③社会環境から整理し，総合的に理解していく。抱えている困難点のみに焦点をあてないで，できていることや発揮されていない能力を把握し，理解を深めることである。

　この利用者理解はアセスメントでもある。アセスメントから利用者の目標を決め，支援計画を策定していく。アセスメントについては図６−３を参照。

アセスメントとは，
収集された情報全体をみて，何を，
どのようにとらえるか・評価するかということ。

身体機能的な情報
知的能力，識字能力，身体の発達レベル，疾病や障害による身体機能の変化
精神心理的な情報
利用者が，自らの抱えている困難に対する感情 　（怒り，絶望，楽天的な気持ちなど）
社会環境的な情報
家族関係・職場，学校地域などにおける人間関係，生活環境，地域環境，利用者の価値観

出所：新・社会福祉士養成講座7『相談援助の理論と方法Ⅰ 第3版』中央法規，
　　　2015年，p.41を参考に筆者作成

図6－3　アセスメント

❺体験学習のサイクルの活用

　支援の実践において，すぐに「良かった」「悪かった」等を判断する場合がある。しかし，以下の「体験学習のサイクル」に沿って，振り返ることも大切である。①学習とは，必要な知識を事前に学ぶことである。②体験とは，実際に社会的養護等の現場で実践することである。③多面的理解とは，その時の出来事を思い出し（利用者の言動，自分の言動・気持ち），多面的に捉え，その時にはどのように理解したのか，今はどう理解したらよいかなど，さまざまな角度から検討することである。④意味づけとは，これまで学んできたソーシャルワークの価値，知識，技術と体験したことを結びつけ，その意味を深めることで意味づけていくことである。⑤計画とは，これからどのように行動するのかを具体的にすることである。⑥実行とは，その計画に沿って実行することである。次の課題に向けてさらなる学習をすることが重要である（図6－4参照）。

第6章　社会的養護に関わる保育士の専門性　103

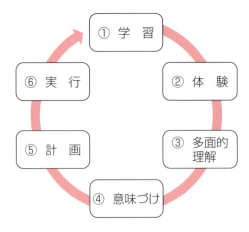

図6-4　体験学習のサイクル

出所：社会福祉基礎シリーズ『社会福祉援助技術現場実習　ソーシャルワーク実習』有斐閣，2002年，p.170を参考に筆者作成

演習3　次の場面における利用者の気持ちを多面的に理解してみよう。

場面1：『実習中に子どもの居室で洗濯物をたたんでいると，5歳児のレイちゃんがそばに来て，怒ったような表情で，たたんだものを散らかしました。』

　この時の，レイちゃんはどのような気持ちでこうした行動をとったのかを考えてみよう。レイちゃんの気持ちとして考えられるものを，少なくとも5つ挙げなさい。正解はないので，自由に発想すること。

_____
_____
_____
_____
_____

場面2：『小学5年生の女児アイちゃんは，夏の暑いときも長ズボンをはいて登校しています。スカートをはいて行ったらと職員が話しかけても，アイちゃんは黙ったまま登校しています。』

　この時のアイちゃんの沈黙の意味を考えてみよう。アイちゃんがなぜ沈黙しているのかについて，考えられる理由を，少なくとも5つ挙げなさい。正解はないので，自由に発想すること。

これらの演習課題は，いずれも個人で考えるだけでなく，数名のグループで各自が理解したことを発表しあったり意見交換したりすることにより，さまざまな受けとめ方があることに気づくことができる。その上で，利用者の気持ちに対して，どのような対応があるかをグループで考え，ロールプレイングで体験してみることも可能である。

3．コミュニケーションの技術

❶コミュニケーション

　不適切な養育を受けてきた子どもは，大人への不信感や，自己肯定感が低い傾向にある。そのため，児童養護施設運営指針では「安心して自分を委ねられる大人の存在が必要」などと「養育を担う人の原則」が記されている。児童福祉施設などで子どもと共に生活をする職員が，子どもと良好な関係を築くことは，安心・安全な生活を保障する上でも必要である。しかし，職員側が「子どものために」と伝えた言動が，時には子どもの理解が得られず，不信感を募らせることもある。

　ここでは，非言語的コミュニケーションとコミュニケーションの性質とについて整理した後，コミュニケーションの技術について学んでいく。

❷非言語的コミュニケーション

　コミュニケーションの語源はラテン語の「communico」「communicare」で，「共有する」「共にある」という意味がある。このことからも，「一方向」ではなく「双方向」であると理解することができる。

　コミュニケーションには，言葉を直接介して行う言語コミュニケーションの他に，非言語的コミュニケーションがある。非言語のメッセージは，主に①表情，②視線・アイコンタクト，③動作，④姿勢，⑤身体の位置・距離・接触，⑥声の調子・抑揚・強弱，⑦（言葉の）間・速度，⑧その他（ため息など）で表される。

第6章　社会的養護に関わる保育士の専門性　105

非言語的コミュニケーションは，時に言語コミュニケーションより多くのことを伝える力を持っている。子どもの話を聞く上でも，うなずきながら，目線を合わせて聞けば「受け入れてもらえる」というメッセージが相手に届くが，視線を合わせないと「拒否されている」というメッセージが相手に伝わってしまう。子どもとの信頼関係を構築するためには，「あなたのことを大切にしている」といった言語メッセージと態度として表れる非言語メッセージを一致させる必要がある。

❸コミュニケーションの性質

コミュニケーションは，双方のやり取りで成立するが，相手に対してどのような反応を期待しているかによって，その性質は異なる。一般的には①概念や知識だけのやり取り，②感情を伝え合う，③知識と感情の両者が行き来するやり取りに分けられる。

児童福祉施設などの現場においては，特に③の知識と感情を組み合わせた性質が多くなる。例えば，「高校を卒業したら，就職したいけど不安」という子どもに対しては，社会的養護の子どもに関する就職支援の情報を知識として伝えるとともに，「不安」という感情にも寄り添う必要がある。また，子どもに勉強を教える場面では，単に勉強の知識を伝達するだけではなく，勉強の内容が理解できないから「イライラしている」といった感情に対応する必要が生じるかもしれない。このような場面で，「イライラするんじゃない」と怒り感情で対応をしていたら，子どもの自己肯定感が上がるだろうか。

❹選択理論心理学の応用

選択理論心理学（Choice Theory Psychology）とは，アメリカの精神科医，ウイリアム・グラッサー博士（William Glasser）が提唱した心理学であり，「人はなぜ，いかに行動するのか」ということをわかりやすく説明しているため，児童福祉施設等の現場でも応用可能である。

演習4　「ハートビーイング」に取り組もう！

　　　個人ワーク（5分）後，グループワーク（3名〜6名ほど／5分〜10分）でどのような言葉が出たかシェアしていこう。

> ハートの外側には，言われると嫌な言葉（非言語メッセージ含む）を，ハートの内側には言われると嬉しい言葉（非言語メッセージ含む）を書き出してください。

出所：伊藤昭彦ら編著『選択理論でアクティブラーニング』ほんの森出版，2015年，pp.90-91

　ワークの結果，他者に対して良い言動，好ましくない言動が整理できたのではないだろうか。

　表6-1は，「身につけたい7つの習慣」「致命的な7つの習慣」を表している。「致命的な7つの習慣」や演習で整理した「自分がされて嫌な言動」は，養育上は不適切であると理解していても，子どもが「言うことを聞いてくれない」等，自分が期待した行動をとってくれない場合，使いたくなることがあるだろう。しかし，「致命的な7つの習慣」を使い続ければ，子どもとの対話が少なくなり，相手の言葉に耳を傾けなくなる。また，特に年齢が低い子どもを中心に「致命的な7つの習慣」を使用すると即効性があるため，効果があると感じるかもしれない。しかし，大人への抵抗が難しいと感じている場合は，「致命的な7つの習慣」を受け入れていることに注意する必要がある。これでは，安心・安全の生活の保障にはつながらない。

　今回の演習を通して，子どもとの関係が離れる言動なのか，良好にする言動なのか

意識してコミュニケーションをとる必要がある。子どもの成長は時間がかかるため「身につけたい7つの習慣」で接する中では，大人側の忍耐も必要になってくるかもしれない。「宿題をしない」等，子どもが期待した行動をとってくれない場合は，批判的なレッテルを貼らずに，いったん事実をそのまま捉え，養育において本当に必要な言葉がけは何か考えて実践していくことが必要である。

表6－1

身につけたい7つの習慣	致命的な7つの習慣
支援する	批判する
励ます	責める
傾聴する	文句を言う
受け入れる	がみがみ言う
信頼する	脅す
尊敬する	罰する
違いを交渉する	褒美で釣る

出所：ウイリアム・グラッサー（柿谷正期訳）『テイクチャージ選択理論で人生の舵を取る』
アチーブメント出版，2016年，pp.35-36

4．チームワーク

❶組織とは何か

施設は1つの組織である。組織とは，①ある目的を達成するために，②複数の人々が集まった協働の仕組みである。施設には，それぞれの事業の目的がある。例えば，児童養護施設は，児童福祉法第41条に「保護者のない児童（乳児を除く。ただし，安定した生活環境の確保その他の理由により特に必要のある場合には，乳児を含む。），虐待されている児童その他環境上養護を要する児童を入所させて，これを養護し，あわせて退所した者に対する相談その他の自立のための援助を行うことを目的とする施設」と定められている。

この事業目的を達成するために，複数の職員がそれぞれの役割を分担，協働しながら支援を行うのである。職員には，それぞれの専門性や年齢や経験年数，ジェンダー，出身地域，価値観などの違いがある。だからこそ，個々の職員が組織（施設）の一員（メンバー）として協働するうえで，組織の理念や事業目的，目標，それぞれの役割を

正しく理解，納得して責任のある行動をとることが求められる。

　組織で専門職として働くとき，次の3つの役割がある。①組織の役割，②階層（施設長，主任などの職位）の役割，③機能（保育士などの職種）の役割である。いずれも，それぞれの組織の理念や事業目的，規模などによって異なってくるので確認する必要がある。そして，それは事業計画や管理規定，運営規程などに明記されている（図6－5参照）。

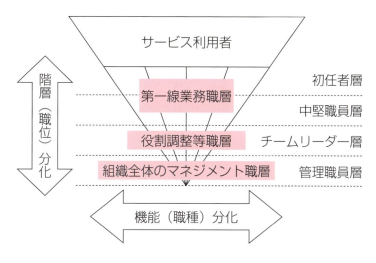

図6－5　組織の構造－2つの分化

出所：全国社会福祉協議会『[改訂2版] 福祉職員キャリアパス対応生涯研修課程テキスト』初任者編，p.95を参考に筆者作成

　では，各施設にはどのような専門職がいて，どのような職位があるのだろうか。
　また，それぞれにはどのような役割（職務内容）があるのだろうか。児童養護施設の例示をもとに，事前学習の書籍を参考にして調べてみよう。

演習5 「職位・職種の職務内容」を調べてみよう！

児童養護施設の職位・職種の職務内容

職　位	職務内容
施　設　長	
副　施　設　長	
主　　任	
副　主　任	
一　般　上　級　職	
一　般　職	

※職位の役割については，児童福祉法，児童福祉施設の設備及び運営に関する基準や各運営指針に明記されている。しかし，施設長以外の職位の役割はこれらに記載はない。実際には施設の規模等により，副施設長や主任を設けている施設もある。具体的には，法人定款や施設の管理規程，運営規程に定められている（章末の「職務階層と求められる機能のイメージ」参照）。

児童養護施設【職務分掌・職種別】

職　種	職務内容
指　導　員　・　保　育　士	
家庭支援専門相談員	
里親支援専門相談員	
自　立　支　援　担　当　職　員	
個　別　対　応　職　員	
心　理　療　法　担　当　職　員	
栄　養　士	
調　理　員	
看　護　師	
事　務　・　会　計	

組織の理念は抽象的なものもあり，理念を反映させた事業目的・目標を達成するためには，理念から計画へのブレークダウン（目標達成の方針を示し，6W2Hに基づいた具体的な実行計画の作成）が必要となる（図6－6参照）。

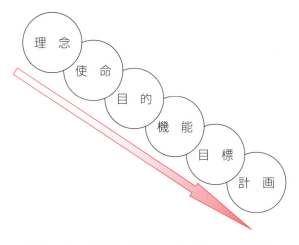

図6－6　理念から計画へのブレークダウン

出所：全国社会福祉協議会『[改訂] 福祉職員生涯研修課程テキスト』指導編，p.33を参考に筆者作成

表6－2　組織の理念・使命・目的等に関する一般的定義

理　念	事業・計画などの根底にある根本的な考え方 （経営方針：理念を実現するための活動方針・方向性）
使　命	組織として内外に対して果たすべき基本的任務
目　的	組織として目指す最終的ゴール （運営方針・支援方針：目的達成にあたっての姿勢・行動基準）
機　能	組織として果たしていくべき基本的な機能 （各職位・職種の役割）
目　標	達成するべきゴール （理念の実現，目的の達成度を示す，具体的かつ測定可能な指標）
計　画	目標達成のための段取り （6W2H）

出所：全国社会福祉協議会『[改訂] 福祉職員生涯研修課程テキスト』指導編，pp.32-33を参考に筆者作成

❷チームワーク

　チームワークという言葉をよく耳にするが，どのようなことなのだろうか。施設の

仕事はチームによって進められる。チームワークとは、職員同士が仲のよい関係をつくることだけではない。

(1) チームワークがとれている状態

チームワークがとれている状態とは、「目標を達成するためにメンバーが協働していること」である。そのためには、次の3点が重要となる。①目標の明確化と共有、②役割分担（目標達成のために必要な権限と責任）、③相互支援（他のメンバー・チームとの協働）である。

①目標の明確化と共有、②役割分担、③相互支援については、PDCAの管理サイクルの活用が効果的である。PDCAの管理サイクルとは、第二次世界大戦後、アメリカの物理学者ウォルター・シューハートと物理学者エドワーズ・デミングにより提唱された品質管理などの継続的改善手法である。

例えば、具体的な活用方法として、組織の理念や事業目的に基づいて事業計画（Plan）を6W2Hで作成し、チームやメンバーが実践（Do）していく。そして、その計画に沿って実行できたか結果を確認（Check）し、未達成な箇所があり、対応が可能な場合は解決活動を行う。最後に、結果を踏まえて、改善活動（Act）を行う。未達成な箇所があれば原因を分析し対応策を立てるとともに、達成した箇所は成功要因を分析し、常によい結果が得られるようにしていくことである（図6-7参照）。

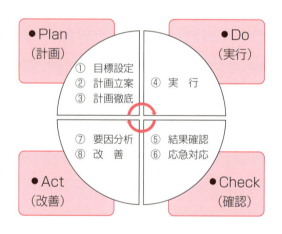

図6-7　PDCAの管理サイクル

出所：全国社会福祉協議会『［改訂2版］福祉職員キャリアパス対応生涯研修課程テキスト』中堅職員編、p.11を参考に筆者作成

表6-3　PDCAの管理サイクル

①	目 標 設 定	業務の目標を決める
②	計 画 立 案	目標を達成する方法を6W2Hで決める
③	計 画 徹 底	6W2Hの計画をメンバーに徹底する
④	実　　　行	計画に沿って業務を行う
⑤	結 果 確 認	目標・計画と実行結果の差を確認する
⑥	応 急 対 応	未達成なところがあれば応急対応をする
⑦	要 因 分 析	結果を踏まえ未達要因，成功要因を分析する
⑧	改　　　善	常によい結果が得られるように改善する

出所：全国社会福祉協議会『［改訂2版］福祉職員キャリアパス対応生涯研修課程テキスト』
　　　中堅職員編，p.11を参考に筆者作成

表6-4　6W2Hとは

Why	目　　　的	この業務（目標）は，なぜ，なんのために
What	内　　　容	この業務（目標）は，なにを
Who	主　　　体	この業務（目標）は，だれが
Whom	客　　　体	この業務（目標）は，だれに
Where	場　　　所	この業務（目標）は，どこで
When	期　　　限	この業務（目標）は，いつまでに
How	方 法 ・ 手 順	この業務（目標）は，どのように
How Much	程 度 ・ 費 用	この業務（目標）は，どのくらい

出所：全国社会福祉協議会『［改訂2版］福祉職員キャリアパス対応生涯研修課程テキスト』
　　　初任者編，p.59を参考に筆者作成

（2）コミュニケーションの活性化

　組織は，人との関係，協働によって成り立っている。その関係や協働を円滑にするのがコミュニケーションである。当然，チームワークには，職員相互のコミュニケーションは欠かせない。ここでは，職員間の挨拶とホウレンソウ（報告・連絡・相談・確認）を取り上げる。

　まず，職員間の挨拶から述べていく。挨拶のオアシス（oasis）という言葉がある。これは，昭和30年頃，長崎県で始まったオアシス運動に由来すると言われている。オアシスは「疲れをいやし，心に安らぎを与えてくれる場所」という意味がある。そして，挨拶はビジネスマナーの基本でもあり，職場の中での潤滑油として大切になる（表6-5参照）。

挨拶については，第2章で取り上げたコミュニケーションの技術が活用できる。例えば，朝の出勤時，先輩や同僚に「おはようございます」と挨拶する際，どのようなことに留意しているだろうか。相手の顔も見ないで，小さな声で相手に聞こえなかった場合，相手は挨拶されたと感じないこともある。

表6－5　挨拶の基本「オアシス」

オ	おはようございます	明るい挨拶
ア	ありがとうございます	感謝の気持ち
シ	失礼します	礼儀ある姿勢
ス	すみません	素直な態度

　A・マレービアンは，著書『非言語コミュニケーション（Silent Messages）』にて「矛盾したコミュニケーションとは，言葉とそれ以外の伝達行動によって，相反するメッセージを同時に送り出すことである。つまり，言葉で何か言う一方で，顔の表情，姿勢と位置，声の調子によって，正反対のことを表現することである。」としている。

　一般的にいわれている「マレービアンの法則」では，「好意」の程度を伝達する時に，「言語（verbal）」が占める割合を7％，「声の調子（vocal）」38％，「顔の表情（visual）」55％としている。

　例えば，「言葉」が「楽しい」という肯定的なもので，「声の調子」が暗く，さらには「顔の表情」が沈んだ否定的な場合は，「言葉」と「声の調子」「顔の表情」が相反するものとなり，全体的には否定的なメッセージが伝わることになる。それは，矛盾した二重のメッセージになり，相手に不安や混乱を与える可能性がある。

　職員が利用者（子ども）の話を聴く場合は，これらのことを念頭におき，利用者の言葉のみで判断しないことである。また，職員が利用者に何かを伝える際は，二重のメッセージを送らないように心がけることである。言葉の奥にある相手の気持ちを理解することは利用者理解には欠かせない重要な技術になる。

　また，「言語」の割合は7％であるが，「言語」の重要性は否定していない。支援のプロセスにおいて，職員は利用者の理解度を把握し，利用者のわかる言葉で伝えることで，利用者の理解度が高くなる。

　そして，利用者を職場の上司・先輩・同僚・後輩に置き換えても同様のことがいえる。

演習6 「言語コミュニケーションと非言語コミュニケーション」を体験してみよう！

　人数は20名以下が望ましい。椅子・机を外し，部屋の中央にスペースをつくる。進行者（教員あるいは，リーダー役）と，歩く時の合図と止まる時の合図を決める（例：手をたたく，ストップの声かけなど）。

　進行者の合図に合わせて，参加者はフロアを歩く。進行者の合図で，その場で止まる。ステップごとに，進行者は参加者数名の感想を聞く。最後に，それぞれ，どの段階が心地よかったかを話し合う。

　ステップ1：誰とも顔や視線を合わせない

　ステップ2：視線を合わせるだけ（顔は無表情）

　ステップ3：視線を合わせて会釈だけする（顔は笑顔で）

　ステップ4：お互いに名前を紹介する（場合によって握手を入れることもあり）

言語コミュニケーションと非言語コミュニケーション

ステップ1	誰とも顔や視線を合わせない
感　想	
ステップ2	視線を合わせるだけ（顔は無表情）
感　想	
ステップ3	視線を合わせて会釈だけする（顔は笑顔で）
感　想	
ステップ4	お互いに名前を紹介する（場合によって握手を入れることもあり）
感　想	

演習を体験し気づいたこと
今後活用できそうなこと

第6章　社会的養護に関わる保育士の専門性　115

次に，職場のホウレンソウ（報告・連絡・相談＋確認）について述べていく。

組織のメンバー一人ひとりが，お互いに事前に「相談」し，仕事の進捗や経過について「連絡」し，仕事が完了したら「報告」することが大切である。一般的に，仕事は指示・命令からスタートとするといわれる。報告・連絡・相談＋確認に加えて，指示の受け方（聞き方）も重要になる。具体的には，①うなずいたり，あいづちをうつ。②復唱する。③質問や確認をする。④メモをとる。などがある。

「報告」は，仕事を指示された職員が，その実施の状況や結果について述べることである。「連絡」は，仕事上の事柄について事実や情報を関係者に伝えることである。「相談」は，仕事の進め方がわからない時や，判断に迷った時に，上司や先輩職員に助言や指導をもらうことである。「確認」は，伝えたつもり，分かったつもりにならないで確認することである。具体的なポイントは表6－6参照。

交替勤務の多い職場では，滞りなく継続的な支援ができるよう申し送り（引継ぎ）ノートを活用しながら，報告・連絡・相談＋確認をすることは不可欠である。子どもから頼まれていた事柄，例えば翌日，学校に持って行かなければならない物を他の職員に連絡することを忘れて，当日，子どもに迷惑をかける可能性もある。

表6－6 「ホウレンソウ」のポイント

報　告	□ 指示された仕事が終わったら，必ず報告している
	□ 報告は，①結論，②経過，③私見の順番でしている
	□ 報告にあたっては，事実と意見を区別している
	□ 長期的な仕事は，タイミングのよい中間報告をしている
連　絡	□ 連絡は，どのルートで誰にするのか確認している
	□ 6W2Hに留意して簡潔に伝えている
	□ 誰に，何の情報が必要か意識して連絡している
	□ 重要事項は文書で連絡している
相　談	□ 困ったことや疑問点は，上司・先輩に相談している
	□ 相談したいことを自分の中で整理してから相談している
	□ 指示の内容が理解できない時は，その場で相談している
	□ 相談したことについては，結果を報告している

出所：全国社会福祉協議会『[改訂2版] 福祉職員キャリアパス対応生涯研修課程テキスト』初任者編，p.87を参考に筆者作成

演習7 次のように，「子どもに言われた時にどう答えるか」考えてみよう！

個人ワーク（5分）後，グループワーク（3名～6名ほど／5分～10分）でどのような言葉が出たかシェアしていこう。

> 小学6年生のサクラちゃんが，朝登校の際，「○○さんに頼んでおいた，修学旅行の参加承諾書はできてる？　今日中に出さないと修学旅行に行けなくなるんだけど…」
>
> あなたは，そのことを聞いていませんでした。さて，その時，サクラちゃんに何と答えますか。そして，どのような対応ができるかを考えてみましょう。

演習8 チームワークを体験しよう！

チームワークがとれている状態とは，「目標を達成するためにメンバーが協働していること」である。これを体験する演習として次のようなものがある。

仲間集め

20名前後のグループで実施する。

準備物：色別のシール（4～5色に分けて人数分用意する。20名で実施するなら，
　　　　4色で各色につき5枚），ストップウォッチ等（時間を計るもの）

ルール：言葉を交わさずに，自分と同じ色のシールをつけている仲間を集める。同じ色の仲間と手をつなぎ，同じ色の仲間が全員そろったらその場に座る。

1回目：ルールを説明した後にすぐに実施する。

①参加者全員で円を作り，円の外側を向いて目を閉じる。

②進行者（教員，リーダー）は，一人ひとりのおでこやアゴにシールを貼る。

③進行者は，シールを貼り終わったら，目を閉じたまま円の内側を向くように指示する。

④全員が内側を向いたことを確認し，目を開けるよう指示を出し，ストップウォッチで時間を計り始める。

⑤参加者は，言葉を交わさずに，同じ色のメンバー同士で手をつないでグループを作り，同じ色のメンバーが全員集まったら座る。

第6章　社会的養護に関わる保育士の専門性　117

⑥進行者は，終了までの時間を計測する。

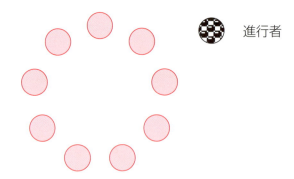

2回目：実施前に2分間の作戦タイムを与えて，1回目よりも早く終了することを目的に実施する。

以下，1回目の①〜⑥に同じ。

終了後：振り返りシートに感想を記入し，グループのメンバーと話し合って「自分自身の傾向」「他者の気持ち」を考えてみる。

♡　仲間集め（色合わせ）ゲーム振り返り　♡

1．言葉を使えないことで，どんな気持ち（感じ）がしましたか。

2．同じ色の仲間が見つかった時，どんな気持ち（感じ）がしましたか。

3．逆に，なかなか見つからなかった時，どんな気持ち（感じ）がしました
か。

4．あなたは，どのような動き（感じ）をしましたか。

5．このゲームの全体を通じて，どんなことに気づきましたか。

出所：尾崎眞三・櫻井奈津子編著『社会的養護の実践・保育士のための演習ワーク
ブック　改訂第2版』第4章，青踏社，2011年

平成21年度報告書が示した「職務階層と求められる機能のイメージ」

	職務階層	求められる機能	役職名称 [例示]
第5段階	トップマネジメントリーダー・シニアマネジャー （上級管理者）	・運営統括責任者として，自組織の目標を設定し，計画をたてて遂行する ・必要な権限委譲を行い，部下の自主性を尊重して自律的な組織運営環境を整える ・人材育成，組織改革，法令遵守の徹底などを通じて，自組織の改善・向上をさせる ・自らの公益性を理解し，他機関や行政に働きかけ，連携・協働を通じて地域の福祉向上に貢献する ・所属する法人全体の経営の安定と改善に寄与する	施設長(1) （部長）
第4段階	マネジメントリーダー マネジャー （管理者） ↑ 管理職	・業務執行責任者として，状況を適切に判断し，部門の業務を円滑に遂行する ・職員の育成と労務管理を通じて組織の強化を図る ・提供するサービスの質の向上の維持・向上に努める ・経営環境を理解し，上位者の業務を代行する ・他部門や地域の関係機関と連携・協働する ・研修教育プログラムを開発・実施・評価をする	施設長(2) 部門管理者 （課長）
第3段階	チームリーダー リーダー （職員Ⅲ）	・チームのリーダーとして，メンバー間の信頼関係を築く ・チーム目標を立て，課題解決に取り組む ・上位者の業務を補佐・支援する ・当該分野の高度かつ適切な技術を身につけ，同僚・後輩に対してのモデルとしての役割を担う ・地域資源を活用して業務に取り組む ・教育指導者（スーパーバイザー）として，指導・育成等の役割を果たす ・研究活動や発表などを通じて知識・技術等の向上を図る	主　任 （係長）
第2段階	メンバーⅡ スタッフⅡ （職員Ⅱ）	・組織の中での自分の役割を理解し，担当業務を遂行する ・職場の課題を発見し，チームの一員として課題の解決に努める ・地域資源の活用方法を理解する ・後輩を育てるという視点を持って，助言・指導を行う ・業務の遂行に必要な専門的知識・技術等の向上を図る ・職業人としての自分の将来像を設定し，具体化する	職　員 （一般）
第1段階	メンバーⅠ スタッフⅠ （職員Ⅰ）	・指導・教育を受けつつ，担当業務を安全・的確に行う ・組織・職場の理念と目標を理解する ・担当業務に必要な制度や法令等を理解する ・組織内の人間関係を良好にする ・福祉の仕事を理解し，自己目標の設定に努める ・仕事から生じるストレスを理解し，対処方法を身につける ・福祉・介護サービス従業者としてのルール・マナーを順守する	職　員 （新任）

出所：「キャリアパス対応生涯研修課程開発・推進委員会　報告書」

「福祉・介護サービス従事者のキャリアパスに対応した生涯研修課程の実施に向けて」を筆者により一部改変

＜参考文献＞

伊藤昭彦・小島淳子編著『選択理論でアクティブラーニング─道徳・総合・学活で使える「人間関係づくり」ワークシート＆指導案』ほんの森出版，2015年

ウイリアム・グラッサー著，柿谷正期訳『テイクチャージ選択理論で人生の舵を取る』アチーブメント出版，2016年

ウイリアム・グラッサー著，柿谷正期訳『グラッサー博士の選択理論─幸せな人間関係を築くために』アチーブメント出版，2000年

公益財団法人児童育成協会監修，相澤　仁・村井美紀編集『社会的養護内容』中央法規，2015年

櫻井奈津子編著『社会的養護の原理　改訂第5版』青踏社，2011年

Ｆ・Ｂバイステック著，尾崎　新ら訳『ケースワークの原則─援助関係を形成する技法─』誠信書房，2006年

福祉職員キャリアパス対応生涯研修課程テキスト編集委員会編集『［改訂2版］福祉職員キャリアパス対応生涯研修課程テキスト　初任者編』全国社会福祉協議会，2021年

福祉職員キャリアパス対応生涯研修課程テキスト編集委員会編集『［改訂2版］福祉職員キャリアパス対応生涯研修課程テキスト　中堅職員編』全国社会福祉協議会，2021年

「福祉職員生涯研修」推進委員会編集『改訂「福祉職員生涯研修課程テキスト」基礎編』全国社会福祉協議会，2008年

「福祉職員生涯研修」推進委員会編集『改訂「福祉職員生涯研修課程テキスト」指導編』全国社会福祉協議会，2007年

「福祉職員生涯研修」推進委員会編集『改訂「福祉職員生涯研修課程テキスト」管理編』全国社会福祉協議会，2002年

Ａ・Ｈ・マズロー著，小口忠彦訳『改訂新版　人間性の心理学　モチベーションとパーソナリティ』産業能率大学出版部，2005年

Ａ・マレービアン著，西田司他共訳『非言語コミュニケーション（Silent Messages）』聖文社，1986年

宮崎民雄『福祉現場のマネジメント』エイデル研究所，2002年

村井美紀「事後学習」岡田まり・柏女霊峰・深谷美枝・藤林慶子編『社会福祉援助技術現場実習　ソーシャルワーク実習』有斐閣，2002年

山辺朗子「ソーシャルワーカーに必要なコミュニケーション技法」白澤政和ら編『相談援助演習』ミネルヴァ書房，2015年

学習内容を確認してみよう！

問題1　第6章で印象に残っているキーワードを挙げてみよう。

問題2　職員として働くとしたら，どの種別の施設で働きたいですか。

問題3 そう思ったのはなぜですか。

問題4 その施設で働くために，どのような知識・技術を身につけたいですか。

児童養護施設と私

児童養護施設出身
S・H（26歳）

　小学校6年生から高校卒業まで児童養護施設で育ちました。施設での生活で私の人生は大きく変わりました。変わったというよりも担当の保育士が変えてくれたと言う方が正しいかもしれません。彼女がいなかったら私はきっと真逆の人生を歩んでいたかもしれない。

　入所当時の私は人付き合いが本当に苦手で，人を信用する事も出来ないような子どもでした。親から否定的な言葉を言われ続けたのもあり，大人を信用することが出来ず，自分に対しても自信が持てなかったのを覚えてます。また，毎日決められた同じようなものしか食べて来なくて，買い物も連れてって貰えなかったから自分の好みが分からず，自分で選択していくという事が苦手でした。

　そのような私に，担当の保育士はいつも私の事を否定することなく，自分のことを理解しようとしてくれてました。定期試験前は「頑張ってね」と夜食を持って来てくれたり，友人と遊び帰宅時間が大幅に遅くなった時は，頭ごなしに否定するのではなく「心配してたよ」と声をかけてくれました。そのような関わりをしてくれ，段々と打ち解けることができました。

　また彼女には，買い物や食事の際に何か選ぶ時は必ず自分で決めるようにと言われて続けてきました。些細なことでも自分で決めていくうちに決断力がついたのではないかと思います。高校卒業から数年後の海外留学を決められたのも日々の積み重ねが大きかったのかと思います。

　施設での生活は不自由なことも正直多かった。それでも彼女が応援してくれたから，努力することの大切さ，そして頑張れば目標は叶うということが私の経験から言えます。今私はとてもいい人生を歩めています。だから「施設で育った」と言うと，「意外」って言われることもあります。「世間って施設に対してどんな印象持ってるの」とたまに思うけどね。

　最後に私が好きな言葉を紹介します！　Everyone can change their destiny by Chiara．　直訳すると"誰もが自分の運命を変えることが出来る"そう，変えようと思えば変えられるのよ運命って。児童養護施設での生活を振り返って。

第7章

今後の課題と展望

本章の要点

　本章は最終章であることから，授業内容全体の振り返りを行うなど他の章とは異なる構成となる。まず，1章から6章までの学びを振り返り，各章で明らかになった今後の社会的養護の課題について検討していく。つぎに，児童福祉法と「新しい社会的養育ビジョン」をもとに，各章で学んだことを踏まえて今後の社会的養護の展望について考えていく。最後に，この演習授業を通して，自分自身の学びの深化・変化（児童福祉観の変化，社会的養護への理解，保育士としての倫理観の醸成など）についても振り返り，今後の課題を明らかにしていく。

【キーワード】

　社会的養護の課題　社会的養護の展望　児童福祉法　新しい社会的養育ビジョン　保育士　省察

学習する前に予習しておこう！

問題1 各章に関連する内容から2つ，社会的養護の課題について指摘してみよう。

第1章　社会的養護の内容
●

●

第2章　子どもの権利擁護
●

●

第3章　家庭養護の特性および実際
●

●

第 4 章　施設養護の特性および実際

●

●

第 5 章　自立支援と支援計画の策定および自己評価

●

●

第 6 章　社会的養護に関わる保育士の専門性

●

●

演習1 グループで話し合い，問題1 で指摘した課題の解決策について自分の考えを述べよう。

1．2016年に改正された児童福祉法にみる子どもと家庭への支援

❶児童虐待の発生予防と在宅支援

児童福祉法第21条の10の5第1項では，妊娠期から子育て期までの継続した支援を行うために，出産前に支援を要する妊婦，児童，その保護者に日頃から接する機会が多い，医療機関，児童福祉施設，学校等が支援を要する妊婦等を把握した場合には，その情報を市町村に提供するよう示している。また，「児童虐待発生時の迅速・的確な対応」として，児童福祉法第10条の2では，市町村における特に在宅ケースを中心とする支援体制を充実させるために，実情の把握，情報提供，相談・指導，関係機関との連絡調整等の支援を一体的に提供する拠点の整備に努めることを定めている。

❷政令で定める特別区における児童相談所の設置

大きな変革として，児童福祉法第59条4第1項では，政令で定める指定都市・中核市・児童相談所設置市（特別区を含む）は児童相談所を設置することとなった。東京23区では，先陣を切って2020年に荒川区・江戸川区・世田谷区の3区が，2021年には港区が児童相談所を開設した。2022年には板橋区と中野区が開設予定である。

❸要保護児童対策のための専門職の配置

児童福祉法第25条2第6項では，「市町村の設置する要保護児童対策地域協議会の調整機関は，専門職を置くこと」と規定されており，専門職の配置が努力義務から義務化された。都道府県は，児童相談所の体制を強化し専門性向上を図るために，児童相談所に児童心理司，医師または保健師，指導・教育担当の児童福祉司等の専門職を配置することとしている。そのほか，法律に関する専門的な知識経験を必要とする業務を適切かつ円滑に行うため，弁護士の配置を定めることにより，虐待を受けた児童を保護するに際して想定される保護者とのトラブルへの対応や，親権停止の法的手続きを円滑に進めることが期待されている。

2．今後の児童福祉法改正案に見る展望

2022年3月には一部2024年春の施行を目指し次のような児童福祉法改正案が閣議決定されている。

❶虐待を受けた子どもを親から引き離す一時保護の要否を裁判官が判断する制度の導入。

一時保護では，親権者の同意がない場合の司法審査として「一時保護状（仮称）」を導入する。児童相談所が保護開始前（あるいは開始7日以内）に裁判所に請求し，「一時保護状（仮称）」を出すか否か裁判官が決定する。手続きの透明性を確保するために強制措置の実施に当たり司法が後ろ盾となる。

❷児童養護施設や里親家庭で育つ若者の自立支援に関し，原則18歳までとなっている年齢上限の撤廃。

施設や里親などの保護を離れた「ケアリーバー」は，問題が生じても自分の親などを頼れず困窮，孤立に陥りやすい。そこで，施設や自治体が自立可能と判断した時期まで支援を継続できるようにする。

❸虐待対応や家庭支援に高い専門性を持つ新しい認定資格「子ども家庭福祉ソーシャルワーカー（仮称）」の創設。
❹措置における子どもの意向を確認し勘案することを義務付ける。
❺わいせつ行為をした保育士の再登録規則の厳格化。

3．「子どもの権利条約」にみる社会的養護の支援の方向性と課題

❶「子どもの最善の利益」をかんがみた家庭支援

「子どもの権利条約」において，「子どもの最善の利益」を保障するために，父母の第一義的責任とそれを可能にする公的支援の責任が規定されている。第20条1項では，「一時的若しくは恒久的にその家庭環境を奪われた児童又は児童自身の最善の利益にかんがみその家庭環境にとどまることが認められない児童は，国が与える特別の保護及び援助を受ける権利を有する」ことが示されている。そして，2項では，国にはそのための「代替的な監護」を確保する責任があり，監護には，「里親委託，養子縁組，必要な場合には児童監護のための適当な施設への収容」が含まれている。一方

で，第9条では，「親からの分離禁止」が原則であり，児童虐待など「特定の場合」に「司法の審査に従うことを条件として」分離が認められているが，社会的養護において，子どもが親から分離されないように家庭支援を行うことの重要性が示されている。しかし，どうしても分離をせざるを得ない場合は「子どもの最善の利益」の観点と適正な手続きに基づいて分離することが原則である。また，分離された場合には，子どもとその家族の生活環境の改善を図り，家庭で親子が一緒に暮らすことができる状況を回復することが，社会的養護の基本的目標となる。

❷国連子どもの権利委員会勧告と「社会的養育の推進に向けて」にみる日本の社会的養護のこれから

「子どもの権利条約」に基づく子どもの権利委員会から日本は，施設養護中心の社会的養護のあり方の見直しに関する指摘を受けている。「子どもの代替的養育に関する国連ガイドライン」に基づき，2010年には3回目の勧告を受け社会的養護改革を迫られ，外務省（2010）は，「国連子ども権利委員会の締約国から提出された報告の審査の最終見解」を以下のように示している。

(a) 里親が小規模なグループ施設のような家族型環境において児童を養護すること

(b) 里親制度を含め，代替的監護環境の質を定期的に監視し，全ての監護環境が適切な最低基準を満たしていることを確保する手段を講じること

(c) 代替的監護環境下における児童虐待について責任ある者を捜査，訴追し，適当な場合には虐待の被害者が通報手続，カウンセリング，医療ケア及びその他の回復支援にアクセスできるよう確保すること

(d) 全ての里親に財政的支援がされるよう確保すること

(e) 2009年11月20日に採択された国連総会決議（A/RES/64/142）に含まれる児童の代替的監護に関する国連ガイドラインを考慮すること。

これらの指摘を受け厚生労働省は，施設養護は小規模化し，施設機能の地域分散化による家庭的養護を推進する方向性を打ち出した。そして，グループホームの推進，ファミリーホームの設置，里親による家庭養護を優先することを明確にし，施設は地域の社会的養護の拠点として，精神的不安定等が落ち着くまでの専門的ケアや地域支援を行うセンター施設として高機能化する案を示している。厚生労働省子ども家庭局家庭福祉課が2017年に示した「社会的養育の推進に向けて」においては，国・地方公共団体（都道府県・市町村）の責務として，家庭と同様の環境における養育の推進等が明記され，①まずは，児童が家庭において健やかに養育されるよう，保護者を支援

すること，②家庭における養育が適当でない場合，児童が「家庭における養育環境と同様の養育環境」において継続的に養育されるよう，必要な措置をとることが示された。そして，③②の措置が適当でない場合，児童が「できる限り良好な家庭的環境」で養育されるよう，必要な措置が求められている。特に就学前の児童については，②の措置を原則とすること等を通知において明確化している。

4．新しい社会的養育ビジョンの実現に向けた工程にみる今後の展望

（1）市区町村の子ども家庭支援体制の構築
- 市区町村子ども家庭総合支援拠点の全国展開
- 人材の専門性の向上により，子どものニーズにあったソーシャルワークをできる体制確保
- 子どもへの直接的支援事業（派遣型）の創設やショートステイ事業の充実
- 親子入所支援の創設（産前産後母子ホーム），児童家庭支援センターの配置

（2）児童相談所・一時保護改革
- 中核市・特別区による児童相談所設置
- 保護措置に係る業務と支援マネージメント業務の機能分離を計画的に進める
- 一時保護を，機能別に2類型に分割（緊急一時保護とアセスメント一時保護）
- 一時保護時の養育体制を強化し，アセスメント一時保護における里親への委託推進・小規模化・地域分散化
- パーマネンシー保障のための家庭復帰計画，それが困難な時の養子縁組推進を図るソーシャルワークを行える十分な人材の確保

（3）里親への包括的支援体制（フォスタリング機関）の抜本的強化と里親制度改革

（4）永続的解決（パーマネンシー保障）としての特別養子縁組の推進

（5）乳幼児の家庭養育原則の徹底と年限を明確にした取組目標
- 就学前の子どもは，家庭養育原則を実現するため，原則として施設への新規措置入所を停止。
- ケアニーズが非常に高く，施設等における十分なケアが不可欠な場合は，高度専門的な手厚いケアの集中的提供を前提に，小規模・地域分散化された養育環境を整え，その滞在期間は，原則として乳幼児は数か月以内，学童期以降は1年以内とする。

（6）子どもニーズに応じた養育の提供と施設の抜本改革

・子どものニーズに応じた個別的ケアを提供できるよう，ケアニーズに応じた措置費・委託費の加算制度を創設する
・家庭では養育困難な子どもが入所する「できる限り良好な家庭的環境」であるすべての施設は原則として概ね10年以内を目途に，小規模化（最大6人）・地域分散化，常時2人以上の職員配置を実現
・さらに高度のケアニーズに対しては，迅速な専門職対応ができる高機能化を行い，生活単位はさらに小規模（最大4人）となる職員配置を行う。

（7）自立支援（リービング・ケア，アフター・ケア）
（8）担う人材の専門性の向上など
（9）都道府県計画の見直し，国による支援

　従来の「社会的養護の課題と将来像」（平成23年7月）に基づいて策定された都道府県等の計画については，「新しい社会的養育ビジョン」に基づき，家庭養育の実現と永続的解決（パーマネンシー保障），施設の抜本的改革，児童相談所と一時保護所の改革，中核市・特別区児童相談所設置支援，市区町村の子ども家庭支援体制構築への支援策などを盛り込んでいる。

学習内容を確認してみよう！

問題1　これまでの学びを通して，あなたが考える良い乳児院または児童養護施設を具体的に案を示して作ってみよう。

企業と施設とのパートナーシップが「丁寧な社会への送り出し」を実現する

NPO法人フェアスタートサポート
代表理事　永岡　鉄平

　平成29年に発表された東京都の調査結果では，東京都内の児童養護施設等を退所した若者達の最初の就職先の1年以内離職率が約50％。平成25年に発表された埼玉県の調査結果では，埼玉県内の児童養護施設等を退所した若者たちの最初の就職先の3年以内離職率が約75％。平成29年に発表された京都市の同様の調査では，施設等の退所者の非正規雇用の割合が約50％，そして，約50％が月収15万円以下の状態にいることがわかりました。

　18歳，高校卒業というタイミングで，頼れる親なく社会で働くことを選択する若者達は，現代の大学全入時代，高学歴化が進んだ現代の日本ではマイノリティかもしれません。しかし，児童養護施設だけを見ても，日本全国において毎年高卒で就職自立する若者達は約1,000人います。少子化社会の流れもあり，人手不足，採用難で苦しむ中小企業が年々増加する中，私達社会は，こうした若者達を一人一人丁寧に社会に送り出せているのでしょうか。

　児童養護施設や里親家庭の若者達を専門に就労支援を行っている当団体が，活動を行っていながら強く意識しているのは，この「丁寧な社会への送り出し方」です。おかげさまで，中高校生の早い時期から様々な会社を見学できる機会，就労体験ができる機会，こうした機会を一人一人にあわせてじっくり提供し，自身の進路をしっかりと自己決定できた若者達は就職後の高い定着率を実現しています。この「自己決定」言いかえると「自分で決めた感」が強い就職は就職後の様々な困難を乗り越える大きな支えになると感じています。また，見学や体験でお世話になった企業等へ就職を決めた若者については，本人が生活をしていた施設と職場が既に関係性を持てているため，入社前に職場と施設との間で，入社後の本人へのフォローや育成に向けた作戦会議も熱心に行われます。

　人材育成に想いのある地域の中小企業と，児童養護施設等の職員との縁が「丁寧な社会への送り出し」を実現できる鍵になる。2021年には各地の児童養護施設等職員が各企業とつながりを深めるための企業情報サイト「フェアスタートパートナー　https://fspartner.org/」も立ち上げました。引き続き，当団体は神奈川県発で全国に取り組みを広めてまいります。

解 答 編

第1章　章末演習

問題1　社会的養護とは，保護者のない児童や保護者に監護させることが適当でない児童を，公的責任で社会的に養育し保護するとともに，養育に困難を抱える家庭への支援を行うことである。

① 対 象

保護者のない児童や病気，虐待など保護者に監護させることが適当でない児童

チェック ☞ 児童福祉法第4条

児童とは，満18歳に満たない者で以下のように分けられている。

1　乳児　満1歳に満たない者

2　幼児　満1歳から，小学校就学の始期に達するまでの者

3　少年　小学校就学の始期から，満18歳に達するまでの者

※しかし，18歳以上でも特に必要があると認めるときは，規定により一時保護が行われた児童については満20歳に達するまでの間引き続き一時保護を行うことができる。

② 責任の所在

国，地方公共団体など公的責任による社会的養育である。個人的養育ではない。

チェック ☞ 児童福祉法第2条

児童福祉法では，児童の育成において第一義的責任は保護者であるとされているが，保護者がその責任を果たすことが困難な場合，国及び地方公共団体は，児童の保護者とともに児童を心身ともに健やかに育成する責任を負うことを明記している。

③　内　容

　「子どもの最善の利益のために」「社会全体で子どもを育む」という理念の
もと社会的に養育し保護するとともに，養育に困難を抱える家庭への支援を
行う。

チェック ☞ 児童福祉法第１条〜第３条，第６条，第35条〜第44条

　　社会的養護は，家庭養護と施設養護に大別できる。家庭養護とは，里親，ファ
　　ミリーホーム（小規模住居型児童養育事業）をさす。施設養護とは，乳児院，児童
　　養護施設，児童心理治療施設，児童自立支援施設，母子生活支援施設などの児童
　　福祉施設における養育のことである。

問題2 　解答には以下のことが含まれていることが望ましい。

　　・1947年頃の社会的養護の特徴は「戦災孤児」の保護であり，保護者の
　　　いない子どもたちが対象であった。現在は８割以上の子どもは親が健在
　　　である。

　　　　→現在は，虐待や養育拒否などの入所理由が増加することにより，個
　　　　　別対応や心理的ケアを必要とする子どもも増加している。

　　・社会全体が敗戦後の生活困窮状態にあった。施設で暮らす子どもたちは，
　　　中学卒業と同時に退所し，集団就職などで働き経済的に豊かな生活を目
　　　指し家庭を持つという共通のロールモデルがあった。

　　　　→現在は，子どもとその家族が抱える問題が多様化，複雑化，長期化
　　　　　しており，個別のケアと対応，およびその家族や家庭への支援が必
　　　　　要となっている。

第２章　章末演習

問題1 　苦情解決のしくみに沿って，苦情解決（子どもの疑問）に向けて進めてい
かなければいけない。苦情受付担当者は苦情解決責任者（施設長であることが
多い）に報告，施設内で子どもへの対応を検討する。まさきの担当職員，心
理療法担当職員，家庭支援専門相談員（ファミリーソーシャルワーカー）など，
まさきと関わっている職員で協議するとともに，第三者委員にも報告する。
苦情内容により，第三者委員が調整に入らなければならない。この場合は，

まさきと信頼関係がある職員を中心に対処するのがよいだろう。

対処として，子どもの思いを尊重しつつ，施設で生活しなければならない事情をわかるように説明する必要がある。説明は，まさきが心を開いている職員と苦情解決責任者，苦情受付担当者等が一緒に話を聴き，話をするのがよいだろう。例えば，理由として，母親には健康上療養が必要であり，経済的な事情もあるので，まさきの世話が難しい状態であること，母親の健康が回復する，あるいは，まさきがもう少し成長してできることが増えていけば，家に帰ることができるかもしれないことを丁寧に説明する。子どもの気持ちに寄り添い，子どもが理解できるように説明することが大切である。

第三者委員にも子どもに対する対応を伝え，意見箱に入った苦情については解決の過程も含めて公表する。公表はホームページや事業報告，会報など，一般社会の人が見ることができる手段で行う。

苦情の内容により，第三者委員が直接調整に入ることもある。本件は，いきなり第三者委員が介入するより，施設職員が対応することで子どもが納得できる結果が得られる可能性が高い。

問題2　実習生やボランティアは職員とは異なり，一定期間，一時期，施設にかかわる立場である。しかし，第三者の目で外から，一般的な常識を持って施設を見る立場でもある。そのため，第三者評価や苦情解決のしくみと同様に，施設の環境をよくし，子どもの権利を擁護するための機能がある。

実習では，施設側から日々の取り組みについて「気づいたことを教えてほしい」と意見を求められたり，実習後にアンケートやレポートを求められたりすることがある。施設の中にいると，一般社会の感覚からずれていくことがあるかもしれない。実習生等は，普通の家庭ではこういうことはしない，とか，職員のかかわり方が子どもにとって良いものに見えない，など，日常生活や子どもとのかかわり方を第三者の目で評価する立場でもある。実習生を受け入れたり，ボランティアを活用したりするのは，その人たちだけのためではなく，子どもや施設にとって良い効果をもたらすことも期待されている。つまり，外の目から見た意見を取り入れ，子どもの環境をよりよくしていくことにつながるのである。

また，入所している子どもの最善の利益を追求するには，子どもに対する理解者を増やすということも大切である。地域社会に，社会的養護の必要な

子どもが受け入れられ，暖かい目で見守られることは，子どもの成長発達に必要なことである。

　実習生やボランティアは，将来，施設職員にならなくても，子どもたちや児童福祉施設に対するよき理解者となることが期待される。そのような一般市民が地域社会に増えることで，社会的養護の子どもは地域の中の子どもとして育ち，社会に巣立った後も偏見や差別なく社会生活が送れるようになるだろう。

第3章　本文演習問題

演習1

	（解答例）
里親さんに対する配慮	・里親ということを同じ保育所に通う他の家庭に伝えたいか，伝えたくないかの要望を聞く。 ・ショウちゃんの名字についての要望を聞く。 ・委託されてから今日までのショウちゃんの様子や里親さんの気持ちの変化について話を聴く。
ショウちゃんに対する配慮	・半年の間に生活する場所が大きく変化しているため，ショウちゃんの心の揺れや気持ちの変化に寄り添う。 ・初めての場所に対しての緊張や不安を取り除くように接する。 ・好きなこと，好きな食べ物，好きな遊び，など子どもが安心して保育所で生活できるように子どもの意見を聴く（本人からが難しければ，里親さんからの情報を聴く）。
その他の配慮	・他の子どもたちに対し，「里親家庭の子ども」という特別な配慮を見せないようにし，ショウちゃんが保育所に慣れるように周囲の子どもたちの関係形成に努める。 ・児童相談所，里親支援機関等の関係機関と連携をとる。 ・虐待や障害等の配慮が必要な場合は，里親や関係機関の情報や意向を確認し，担任だけではなく主任保育士，園長等と一緒に支援を行っていく。

第3章　章末演習

問題1　　年々，奨学金の内容が変化しているためあくまで解答例として，書き方の例を示します。

奨学金名	申請書類の種類	金　額	人　数
○○奨学金	・本人の申請書 ・推薦文 ・作文 ・資金計画書	月額4万円（給付型）	10名程度
□□奨学金	・本人の申請書 ・アンケート ・児童委託証明書 ・志望校概要資料	1人15万（給付型）	200名予定
○の奨学助成	・申請書（生い立ち・人生プラン） ・本人作文 ・資金計画書	年間50万（上限）給付型	5名程度

問題2　　学校ごとに学費も異なりますので，問題1の奨学金の内容とも関連させ例とします。

①	あなたの1年間の学費	例：140万
②	問題1で調べた奨学金の金額合計	例：113万
①	－②	例：27万

問題3

・住宅を借りるときの保証人がいない

・携帯電話を契約することができない

・進学する際の経済的な支援が十分にない

・一人暮らしを始めた際に，ガスや水道などの開通の方法がわからない

・年金や税金の納入方法，住民票の移動方法がわからない

- 困ったときに気軽に何でも聞くことができる場所や人がいる
- 奨学金などで進学資金の不安がなく，学習に専念できる
- 病気や怪我などの際に，サポートしてくれる人がいる
- 社会的養護のことについて理解のある人に相談することができる
- シェアハウスなど１人で生活するのが不安な場合，生活する場所がある

第４章　事例問題

問題1　　児童養護施設に入所している子どもの多くは，不適切な養育をこれまで受けてきている傾向があり，今回のサクラの言動は「自分を本当に大切にしてくれるのか」ということを確認するための，試し行動であることが予測される。また，サクラは虐待ケースでの入所であることから，身近な人から受けてきた暴力的な言動を自らの行動として表出させている可能性がある。

　　このような時の対応として，怒り感情に流されないことが重要である。自分の感情ではなく，事実（暴力的な言動や物を投げつけたり等）を取り上げ，このような行為は相手がどのような気持ちになるのか，（必要に応じて，自分（山田）の気持ちも伝える）考えてもらうと同時に，サクラは山田とどのような関係を本当は結びたいのか尋ねたり，また，何か理解してほしいことはあるのかといった山田の気持ちにも寄り添うことが大切である。

　　そして，次に同じような場面になったらどのように行動するのかを一緒に考え，良い行動ができた際は褒めていくことも大切であろう。

第４章　章末演習

問題1　　大舎制メリット
- 子どもは，ボランティア等含め，多くの大人とのかかわりが持てる。
- 課題の多い子どもに対して，複数の大人がかかわれる。
- 子ども同士のトラブルが発生した際に，複数の大人で対応できる。
- 規則正しい生活リズムがつきやすい。

・新人職員は，ベテラン職員の姿勢を見ながら，子どもへの対応等を覚えていくことができる。

など

大舎制デメリット

・子どもの状況に応じた細やかな対応が難しくなる。

・調理室で一括した料理を提供するため，食事づくりの過程が見えにくい。また部活やアルバイト等で遅い時間に帰宅する子どもに，出来立ての料理を提供することが難しい。

・建物や家事等をたくさんの子どもが生活する場に適応させているため，家庭のイメージを持つことが難しい。

・日課や規則などが管理的になりやすい。

・愛着形成が必要な子どもに対して，十分な対応が難しい。

など

グループホームメリット

・一般家庭に近い生活体験を持ちやすい。

・子どもの生活に目が届きやすく，個別の状況にあわせた対応をとりやすい。

・調理を通じ，食を通じたかかわりが豊かに持てる。

・近所とのコミュニケーションのとりかたを自然に学べる。

・日課や規則など管理的になりやすい大舎制と異なり，柔軟にできる。

など

グループホームデメリット

・職員に調理や家事の力を求められる。

・職員が１人で多様な役割をこなすため，職員の力量が問われる。新人の育成が難しい。

・閉鎖的あるいは独善的なかかわりになる危険性がある。

・大きな課題を持つ子どもがいる場合，少人数の職員では対応しづらい。

・人間関係が濃密となり，子どもと深くかかわれる分，やりがいもあるが，職員の心労も多い。

など

社会保障審議会児童部会社会的養護専門委員会「児童養護施設等の小規模化及び家庭的養護の推進のために」，2012年を参考

索　引

ア

新しい社会的養育ビジョン　……………………6
アドボカシー　…………………………………27
アドミッションケア　…………………………63
アフターケア　……………………………64，65
意見表明権　……………………………………26
意図的なかかわり　……………………………76
インケア　………………………………………63
インテーク面接　………………………………79
永続的解決（パーマネンシー保障）　…………5

カ

価値　…………………………………………100
家庭支援専門相談員　…………………………58
家庭養護　…………………………………5，8，40
カンファレンス　………………………………79
公的責任　…………………………………………4
子どもの権利ノート　…………………………32
子どもの最善の利益　…………………………4，26
個別対応職員　…………………………………58
コミュニケーション　……………105，113，114

サ

里親　……………………………………………5，40
　　──及びファミリーホーム養育指針　……30
　　──が行う養育に関する最低基準　………30
　　──支援専門相談員　………………………43
施設内虐待　……………………………………77
施設の小規模化　………………………………62
施設養護　…………………………………………8
実習生　…………………………………………86
児童憲章　…………………………………………4
児童指導員　……………………………………57
児童自立支援施設　……………………………60

児童自立支援専門員　…………………………58
児童心理治療施設　……………………………60
児童相談所　……………………………………78
児童の権利に関する条約　………………4，24
児童福祉司　……………………………………79
児童福祉施設の運営及び設備に関する基準　………30
児童福祉法　………………………………………4
児童養護施設　…………………………………59
社会的養育　………………………………………5
社会的養護　………………………………………4
　　──施設運営指針　…………………………30
　　──の課題と将来像　………………………62
障害児入所支援施設　…………………………61
障害児入所施設　………………………………61
小規模住居型児童養育事業（ファミリーホーム）
　　………………………………………………40
自立援助ホーム　………………………………65
自立支援　………………………………………16
親族里親　………………………………………40
心理療法担当職員　……………………………58
スーパービジョン　………………………65，101
選択理論心理学　………………………………106
専門里親　………………………………………40
ソーシャルワーク　………………………81，100
　　──の国際的な定義　………………………99
　　──の定義　…………………………………99
措置費　…………………………………………88

タ

体験学習のサイクル　…………………………103
第三者評価　……………………………………32
代替養育　…………………………………………6
試し行動　………………………………………44
チームワーク　……………………………111，112
治療的支援　……………………………………16

通称名 ……………………………………45
特別養子 …………………………………40

ナ

日常生活支援 ……………………………15
乳児院 ……………………………………59

ハ

パターナリズム …………………………77
被措置児童等虐待対応ガイドライン ……31
PDCAの管理サイクル ………………112，113
フォスタリング機関 ……………………44
福祉サービス第三者評価事業 …………32
普通養子 …………………………………40
ホウレンソウ（報告・連絡・相談＋確認）………116
母子支援員 ………………………………58
母子生活支援施設 ………………………59

補助者 ……………………………………47

マ

マズローが提唱する「欲求5段階説」……………99

ヤ

養育里親 …………………………………40
養子縁組 …………………………………40
──里親 …………………………………40
要保護児童 ………………………………40

ラ

リービングケア …………………………64
利用者理解 ……………………………102，114
倫理 ……………………………………100
6W2H ………………………………112，113

《著者紹介》（執筆順）※は編著者

※**松本なるみ**（まつもと・なるみ）担当：第1章，第7章
　　東京家政大学家政学部准教授

　上野文枝（うえの・ふみえ）担当：第2章
　　小田原短期大学保育学科准教授

　山本真知子（やまもと・まちこ）担当：第3章
　　大妻女子大学人間関係学部准教授

※**中安恆太**（なかやす・こうた）担当：第4章，第6章3
　　和泉短期大学児童福祉学科准教授

　髙田祐介（たかだ・ゆうすけ）担当：第5章
　　児童養護施設救世軍機恵子寮施設長

※**尾崎眞三**（おざき・しんそう）担当：第6章1，2，4
　　C & P, etc. 代表

（検印省略）

2019年5月30日　初版発行
2022年8月20日　改訂版発行　　　　　　　　　　　　　略称−養護Ⅱ
2024年8月20日　改訂版二刷発行

予習・復習にも役立つ 社会的養護Ⅱ［改訂版］

編著者　松本なるみ・中安恆太・尾崎眞三
発行者　塚　田　尚　寛

発行所　東京都文京区　　**株式会社　創 成 社**
　　　　春日2−13−1

電　話 03（3868）3867　　ＦＡＸ 03（5802）6802
出版部 03（3868）3857　　ＦＡＸ 03（5802）6801
http://www.books-sosei.com　　振　替 00150-9-191261

定価はカバーに表示してあります。

©2019, 2022 Narumi Matsumoto　　組版：でーた工房　印刷：モリモト印刷
ISBN978-4-7944-8106-1 C3037　　製本：鳴
Printed in Japan　　　　　　　　落丁・乱丁本はお取り替えいたします。

―――――― 保 育 選 書 ――――――

松本なるみ・中安恆太・尾崎眞三 編著

予習・復習にも役立つ
社会的養護Ⅱ

定価（本体 1,800円＋税）

堀 科 編著

これからの時代を生きる子どもたちのための
保育方法論

定価（本体 2,300円＋税）

石垣儀郎 著

援助者を目指す人の「社会福祉」

定価（本体 2,300円＋税）

鈴木美枝子 編著

これだけはおさえたい！
保育者のための「子どもの保健」

定価（本体 2,400円＋税）

鈴木美枝子 編著

これだけはおさえたい！
保育者のための「子どもの健康と安全」

定価（本体 2,500円＋税）

百瀬ユカリ 著

よくわかる幼稚園実習

定価（本体 1,800円＋税）

福﨑淳子・及川留美 編著

［新版］エピソードから楽しく学ぼう
保育内容総論

定価（本体 2,400円＋税）

佐々木由美子 編著

エピソードから楽しく学ぼう
環境指導法

定価（本体 2,000円＋税）

―――――――――――――――― 創 成 社 ――――

巻末問題 ①

アドミッションケアについて考える

① 各入所施設では，定員に空きがでれば，新しい子どもが入所してくる。新しく入所する子どもの担当保育士になった場合，子どもを迎え入れる前後に必要だと思うことを書き出してみよう。

【迎える側】（箇条書き可）

② 施設養護の入所では，施設間や里親との間で　措置変更がなされる場合がある。具体的には，乳児院から児童養護施設や里親，児童養護施設から児童心理治療施設や里親等である。子どもの心理的な負担を減らすためにも，送る側としては，どのような対応が必要か書き出してみよう。

【送る側】（箇条書き可）

　特に送り出す時は，子どもが措置変更することを否定的に捉えないよう，年齢や適性に応じて説明責任を果たすことも大切である。

巻末問題 ①

解答欄

巻末問題 ②

子どもとその家族への支援

> 3歳になるゆうこちゃんは，3日前に児童養護施設に入所してきました。ゆうこちゃんの両親は離婚していて，お父さんは行方不明，ゆうこちゃんはお母さんと生活していました。
>
> 施設入所の当日，児童相談所の担当児童福祉司は，入所の手続きのために同席していたお母さんに対して，「お母さんの体調が良くなるまでゆうこちゃんを施設でお預かりしますね」と伝えました。するとお母さんは「私，別に体調悪くないんですけど」と不満そうな表情で答えました。児童福祉司は話題を今後のゆうこちゃんとお母さんとの交流方法に転換し，スケジュールを確認してやりとりは終了しました。
>
> ゆうこちゃんの「児童票」には，入所理由として，「虐待（ネグレクト）」主たる虐待者は実母。実母は精神疾患を患い精神科クリニックへ通院中。と書いてありました。
>
> 入所から1週間が経過した頃，施設にお母さんから電話がかかってきました。お母さんは「私，もう体調悪くないので，ゆうこを引き取りたいのですが」とやや苛立ったようにあなたに伝えてきました。

問題1 あなたは，電話の向こうにいる母親に対してどのように応答しますか？　次の選択肢のうち，最も適切と思われる応答例を選んでください。そして，それぞれの応答例について適切だとした理由と適切でないとした理由を説明してください。

応答例①
「そのような内容については，児童相談所へ直接伝えてください」

応答例②
「お母様は，1日でも早くゆうこちゃんと一緒に生活することを望まれているのですね」

応答例③
「お母様がゆうこちゃんを引き取るためには，まずお母様の体調が回復されることが必要です」

問題2 ゆうこちゃんの担当者であるあなたは，ゆうこちゃんの支援計画を立てることになりました。あなたが支援計画を立てるにあたって「難しさ」を感じるのはどのようなことですか？

巻末問題 ②

解答欄

学修成果と今後の課題

　「社会的養護Ⅱ」の演習授業をとおして得られた自分自身の学びの深化・変化（児童福祉観の変化，社会的養護への理解，保育士としての倫理観の醸成など）について，何が，どのように変化したのか，また今後の自分自身の学びの課題について具体的に述べよう。

巻末問題 ③

解答欄

第 5 章章末演習 問題 1 「自立支援計画書」

自 立 支 援 計 画 書

児 童 相 談 所 名	○○児童相談所
担当児童福祉司名	○○○○

（フリガナ） 子ども氏名	（男 ・ 女） 生年月日　　年　月　　日生（　　歳）

学年等	学校等名〔　　　　　　　　　　　　　　　〕及び学年〔　　　　　　〕

入所年月日 及び 措置理由	年　　月　　日〔措置番号　　　　　　　　〕
	（主訴） （入所前の状況）自宅・他施設（　　　　　　　　）・その他（　　　　　　　）

基礎データ	身長・体重	cm　　　　　kg			
	Ｉ Ｑ	判定値　　　　判定機関（　　　　）　　判定年月日（　　　　）			
	愛の手帳	有 ・ 無　（　　　　　　　）　（　　年　　月　　日交付）			
	身障手帳	有 ・ 無　（　　　　　　　）　（　　年　　月　　日交付）			
	既往症				
	主訴以外の虐待	年　　月　　日付　　福保子育第　　号承認			
	その他特記事項				

自 立 支 援 方 針

関係者の意向	【子どもの意向】 【保護者の意向】
子どもが抱える課題・問題点	【生活課題】 【心理発達課題】 【医療的課題】 【その他】

	設 定 期 間	設 定 目 標	目 標 設 定 理 由
短期目標	入所から半年程度		
中期目標	入所から1年程度		
長期目標	入所から3年程度		

第5章章末演習 問題1

解答例

自 立 支 援 計 画 書

（フリガナ） 子ども氏名	ソウ セイ タ ロウ 創 成 太 郎 　（男・女） 生年月日 2016 年 4 月 1 日生（ 3 歳）			児童相談所名	○○児童相談所
				担当児童福祉司名	○○○○

学年等	学校等名〔 　なし 　　　　　　　　　　　〕及び学年〔 　　　　　〕			
入所年月日 及び 措置理由	2019 年 4 月 1 日〔措置番号 　＃＃＃ 〕			
	（主訴）実母養育困難とネグレクト （入所前の状況）自宅・他施設（ 　　　　　　　　）・その他（ 　　　　　）			
基礎データ	身長・体重	82 cm 　　12 kg		
	ＩＱ	判定値 　　　判定機関（ 　　　）　判定年月日（ 　　　）		
	愛の手帳	有・無 （ 　　　　　　）　（ 　年 　月 　日交付）		
	身障手帳	有・無 （ 　　　　　　）　（ 　年 　月 　日交付）		
	既往症	不明		
	主訴以外の虐待	年 　月 　日付 　福保子育第 　号承認		
	その他特記事項			

自 立 支 援 方 針

実母の生活状況の改善と適切な養育環境が整うことを条件に 　家庭復帰

関係者の意向	【子どもの意向】 現時点では聞き取れていない 【保護者の意向】 早期の引取を希望しているものの，児童相談所が提示する家庭復帰の条件への理解が低い
子どもが抱える課題・問題点	【生活課題】 　長くネグレクトの環境下に置かれていたことによる経験不足が伺える。基本的な生活リズムが身についていないため，食事や入浴，就寝など施設における日常生活での場面の切り替えが苦手。職員の促しにもスムーズに応じることができない。 【心理発達課題】 　職員や他者からの問いかけに対しての反応が弱い。何でも手づかみで食べ，スプーンやフォークの使用を促してもすぐに手づかみに戻ってしまう。尿意や便意を職員に伝えることをせずに漏らしてしまう。 【医療的課題】 　現在の体格は，医学的な低身長・低体重の域にある。アトピー性皮膚炎は要治療。実母が母子手帳を紛失しており，本児の胎生期および出生後の様子を把握する手がかりがない。 【その他】 　実父が行方不明かつ実母も多くを語ろうとしないことからこれまでの経過で不明なことが多い。

	設 定 期 間	設 定 目 標	目 標 設 定 理 由
短期目標	入所から半年程度	本児の健康状態の回復を図る 実母と支援機関との関係構築	医学的低身長・低体重からの回復を目指す。実母の意向に理解を示しつつ，本児引取を適当と判断するための条件について課題を共有する必要があるため。
中期目標	入所から1年程度	本児の生活・発達課題の整理 自立支援目標の妥当性を検討	施設生活における様々な経験から顕在化する本児の生活課題・発達課題を整理し，現在定めている自立支援目標の妥当性と新たな支援課題を精査するため。
長期目標	入所から3年程度	養育環境を整える 家庭復帰の適否を見極める	実母が生計を維持する方法を確立し，本児に対する適切な育ちの環境を整えるために，社会資源活用を想定した支援体制を構築する必要があるため。